バイリンガル付録 1

西洋美術史の主要アーティスト

(ルネサンスからポスト印象派まで)

おさえておきたい作家をリストアップしました。海外での美術鑑賞の参考に!

イタリア・ルネサンス(14世紀～16世紀)

- ドナテッロ(Donatello)
- サンドロ・ボッティチェッリ(Sandro Botticelli)
- レオナルド・ダ・ヴィンチ (Leonardo da Vinci)
- ミケランジェロ・ブオナローティ(Michelangelo Buonarroti)
- ラファエロ・サンティ(伊= Raffaello Sanzio、英= Raphael Santi)
- コレッジョ(Correggio)
- ジョルジョーネ(Giorgione)
- ティツィアーノ(伊= Tiziano、英= Titian)
- ティントレット(Tintoretto)
- パオロ・ヴェロネーゼ(Paolo Veronese)

北方ルネサンス(14世紀～16世紀)

- ロベルト・カンピン(Robert Campin)
- ヤン・ファン・エイク(Jan van Eyck)
- ヒエロニムス・ボス(Hieronymus Bosch)
- ピーテル・ブリューゲル(Pieter Bruegel the Elder)
- アルブレヒト・デューラー(Albrecht Dürer)

17世紀(バロック他) イタリア・フランドル・スペイン・オランダ・フランス

- カラヴァッジョ(Caravaggio)
- ジャン・ロレンツォ・ベルニーニ(Gian Lorenzo Bernini)
- ピーテル・パウル・ルーベンス(Peter Paul Rubens)
- ディエゴ・ベラスケス(Diego Velázquez)
- ヨハネス・フェルメール(Johannes Vermeer)
- レンブラント・ファン・レイン(Rembrandt van Rijn)
- ニコラ・プッサン(Nicolas Poussin)
- クロード・ロラン(Claude Lorrain)

18世紀(ロココ他) フランス・イタリア・イギリス

- アントワーヌ・ヴァトー(Antoine Watteau)
- フランソワ・ブーシェ(François Boucher)

逆境にもくじけないアーティストたち

メンタルに効く西洋美術

COURAGE THROUGH ART

宮本由紀
miyamoto yuki

マール社

CONTENTS

注記
・著者が翻訳している箇所の（　）は、著者による補足
・既存の邦訳を引用した箇所は原文ママ

EPISODE 1

登場人物

主人公
ゴーギャン
画家

メット
妻

ポール・ゴーギャン

生没年 1848-1903年　出身地 フランス

代表作《我々はどこから来たのか? 我々は何者か? 我々はどこへ行くのか》《説教の後の幻影》《タヒチの女（浜辺にて）》

主人公
ゴッホ
画家

テオ＆ヨハンナ夫妻
弟夫妻、サポーター

フィンセント・ファン・ゴッホ

生没年 1853-1890年　出身地 オランダ

代表作《ひまわり》《星月夜》《夜のカフェテラス》

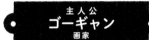

EPISODE 1

メンタルマッチョなゴーギャン

可愛さあまって憎さ100倍……？〈その1〉

ゴーギャン&ゴッホ——メンタルマッチョとナイーブ男子の物語

展覧会でも読みものでも、ゴーギャンとゴッホはいつでもセットで登場します。この二人の関係性はそれだけ注目を集めるに値する、ユニークなものであったということでしょう。同じ時代に生き、同じ「ポスト印象派」の画家と呼ばれ、同じ屋根の下で二か月間、生活を共にするほどの友人だったゴーギャンとゴッホ。美術に対する独特な思想、強烈なまでに個性的なキャラクターの持ち主——このような共通項で括られることが多い二人。しかし彼らの人物像や作品はベクトルの方向が全く異なり、対照的です。この違いが引き起こしたゴッホの有名な「耳切事件」をきっかけに、共同生活が短期間で終わりを迎えたことはよく知られています。しかし反目しつつも二人の友情は絶えることはなく、ゴッホそしてゴーギャンと、順に亡くなるまで、お互いの才能と情熱をリスペクトし合いながら、心は永遠に繋がっていました。

〈小説の主人公を地で行くゴーギャン〉

美術史ベースで一通りゴーギャンを学び、彼の手紙や日誌なども読み込んだ後に、十九世紀イギリスの作家、サマセット・モームが書いた小説『月と六ペンス』を読むと、主人公がゴーギャンとあまりにも重なり、フィクションではなく実話を読んでいるような錯覚に陥ります。

手紙

日誌

事実モームは、ゴーギャンの人生にインスパイアされて、『月と六ペンス』の執筆を思い立ったと言われています。彼は実際にタヒチにも赴き、ゴーギャンを知っていたという人たちからも話を聞いていますので、かなりリアルなゴーギャン像を捉えることができたのでしょう。モームの徹底した取材力と高い筆力によって、美術史における「定説」のゴーギャンと小説の中の人物が重なり、作品をより興味深いものにしています。モームの小説はこのエピソードをお読み頂いた後にお楽しみいただけたらと思います。

ここではゴーギャンが残した数々の手紙やエッセイ、つまり「本人の言葉」というプライマリーソース（注1）から、ゴーギャンの芸術と人生哲学を見ていきましょう。

〔メンタルマッチョ伝説その❶……全てを犠牲に——アートにのめり込む力〕

十九世紀後半のフランス。第一回目の印象派展が開催された一八七四年、新しいムーブメント・印象派が誕生し、アート界を席巻しました（モネ p.135参照）。しかし時を経て、多くの若手アーティストたちは印象派に不満を持ち始めます。印象派から何かしらの影響を受けていた彼らは、印象派を次のステージへと押し上げようと、リアクションを起こします。「ポスト印象派」と呼ばれるアーティストたちです。ゴーギャンはこの「ポスト印象派」の一角を占める重鎮であり、御三家とされるセザンヌ、ゴッホと並び、アートシーンに多大な影響を及ぼし

ポール・ゴーギャン《自画像》油彩
Paul Gauguin, *Self-Portrait*, 1889
National Gallery of Art, Washington DC

EPISODE.1

メンタルマッチョなゴーギャン

ました。

ポール・ゴーギャン（一八四八―一九〇三）は、もともと株式仲買人の仕事をしていました。それなりに収入があったゴーギャンはある時アートに目覚め、印象派の作品などを収集し始めます。仲買人の職を失ったことをきっかけに、趣味としてスタートさせた絵画に没頭し、全ての時間を費やすようになっていきます。プチ・コレクターから、自ら作家に、という今でもしばしば耳にするストーリーですね。

ゴーギャンは既にデンマーク人のメット＝ソフィーと結婚をし、五人の子供をもうけていました。この決断は、妻メットをさぞかし苦しめたと思われます。夫が無名なアーティストとして活動を開始する……メットはいきなり一家の稼ぎ手にならざるを得ない状況におかれたのです。

後に息子のエミールは、母のメットはゴーギャンの才能を信じてというよりは、彼のアートへの情熱を尊敬していたので、サポートするのを決めたと言っています。メットは子供たちとコペンハーゲンに戻る選択をします。当初はゴーギャンもフランスとデンマークを

ポール・ゴーギャン《イア・オラナ・マリア（マリア礼賛）》油彩
Paul Gauguin, *Ia Orana Maria(Hail Mary)*, 1891
The Metropolitan Museum of Art, New York

EPISODE.1

メンタルマッチョなゴーギャン

往復する生活を送っていました。しかし、後にゴーギャンはタヒチへ活動の場を移し、以降家族と会うことはありませんでした。アートへの情熱によって、ビジネスマンとしてのキャリアを諦め、家族を手放し、最終的には異国の地に骨をうずめるという究極の選択をしたゴーギャン。ゴーギャンがここまでアートに傾倒した理由は、どこにあったのでしょうか。その一つに、先進的な若い世代との交流があったと考えられます。

一八八五年に家族を残してコペンハーゲンを去りパリに戻ったゴーギャンは、積極的にパリの前衛的なアート界に出没し、他の芸術家たちとの交流を深めます。翌年の夏から度々、ブルターニュ地方のポン＝タヴァン村という、若い世代が集まるアーティスト・コミュニティを訪れるようになりました。アメリカ人の画学生たちを始め、ヨーロッパ各国からもアーティストたちが集う、インターナショナルなアート村として知られていました。小さな村に暮らす地元民の質素な暮らしぶり、周囲を囲む田園風景など、画家たちのインスピレーションをかきたてるモチーフで溢れたポン＝タヴァンは、パリに比べると割安な生活費もあいまって、多くのアーティストたちを魅了しました。

ゴーギャンはこの街への訪問を続けているうちに、次第に「神」のような存在となっていきます。妻へ宛てた手紙にもこのように書いているほどです。

ポール・ゴーギャン《ブルターニュの踊る少女たち、ポン＝タヴァン》油彩
Paul Gauguin, *Breton Girls Dancing, Pont-Aven*, 1888
National Gallery of Art, Washington DC

【（前略）「このポン＝タヴェンで私がしているのは些細なことだ。それでも、全ての芸術家が私に畏敬の念を抱いて愛してくれており、私の信念に逆らおうとする者などいない」（後略）】
（『オルセー美術館展2010「ポスト印象派」』展覧会カタログ、国立新美術館・日本経済新聞社編、ステファン・ゲガン執事、小川隆久訳、日本経済新聞社、二〇一〇年、一三八頁）

友人のエミール・ベルナールやエミール・シュフネッケルから尊敬されていたのはもちろんのこと、ゴーギャンは特に一まわり年下の若い学生たちからの支持が強かったようです。その中でも後に「ナビ派」と呼ばれるグループの中心的存在となるポール・セリュジエとの出会いは、お互いにとって重要な出来事となりました。

ポン＝タヴァンでゴーギャンはセリュジエに独自の色彩論を伝授しました。この理論に開眼したセリュジエはパリに戻り、通っていた美術学校、アカデミー・ジュリアンの同僚たちにこのショッキングな発見を伝えるのです。

【（前略）「あの樹はいったい何色に見えるかね。多少赤みがかって見える？よろしい、それなら画面には真赤な色を置きたまえ……。それからその影は？どちらかと言えば青みがかっているね。それでは君のパレットのなかの最も美しい青を画面に置きたまえ……」（後略）】
（『近代絵画史 増補版（上）』高階秀爾著、中公新書、二〇一七年、二〇六頁）

セリュジエはゴーギャンから直接このように指導を受けました。それまで、見たものを忠実に描くことを期待されていた画家たちにとって、ゴーギャンの「自由さ」はよほど新鮮に映ったのでしょう。セリュジエはこの時に描いたとされる、まるで抽象画のような革新的な作品《タリスマン》をパリに持ち帰り、ナビ派の仲間に見せて全員を驚かせました。ナビ派の理論家モーリス・ドニは、ゴーギャンの死後「絵画は模倣しなければならないというプレッシャーから解放してくれた人物だ」と、彼を称賛しています。

印象派も一種のリアリズム（＝見たものを描く）であるとし、そこから脱した新たな自己表現方法を模索していたポスト印象派の画家たち。そこへ現れたのがゴーギャンという強力なリーダーでした。感じたままの色を自由に使えば良いというコンセプトを打ち出し、伝統派からバッシングを受けても自分の考えを曲げない屈強なメンタルのゴーギャンは、気付けば多くの「信者」を得ていたのです。一旦リーダーになったことを自覚した人間は、誰しもその地位を守りたいと思うものです。ゴーギャンもまた然り。更なる高みを目指しました。

〔メンタルマッチョ伝説その❷……新天地を開拓——未来を信じる力〕

一八九一年、ゴーギャンはパリを旅立ちます（一八九三年に一旦パリに戻り、一八九五年に再度タヒチへ）。パリの競争社会、堕落した西洋文明、腐敗する人々とアートに失望したこと、また経済的に困窮していた彼にとって高い生活費が負担だったことも、パリを出ようとした大きな理由でした。

十八世紀の冒険記などを読んだ事がきっかけになったのか、あるいは世界の「フランス領」の国々が参加した一八八九年のパリ万博の開催に触発されたのか、ゴーギャンはタヒチへの移住を決意します。タヒチがフランス領だったという安心感も、ゴーギャンの渡航の決心に少なからず影響したようです。

万博の翌年には妻のメットや友人たちに、タヒチへ行く夢を手紙で語っています。メットに宛てた手紙には、海に囲まれた島では平穏に作品制作ができ、お金への執着からは開放されるであろうと書いています。ひたすらエキゾチックな環境で、愛と歌の溢れる中自分は死ぬのだ、とも。生活苦の中、一人家族を守る別居中の妻に宛てて、よくもまあこのようなことを書けたものだと驚愕するばかりですが、メットの対応はあくまでも冷静だったようです。他の友人たちに宛てた手紙の中でもゴーギャンは、タヒチがユートピアであるかのように語っており、夢見るゴーギャンが瞳をキラキラさせながら妄想している姿が目に浮かびます。

ところがタヒチの中心地、パペーテに降り立ったゴーギャンを待っていたのは、理想とは少し違った街の姿でした。宣教師たちを通してもたらされた西洋文明が、ゴーギャンが想像していた以上にタヒチに浸透していたからです。西洋文明から逃れるためにパリを後にしたのですから、現実とのギャップに不満を感じたのも無理はありません。結局、ゴーギャンは更に奥地へと理想的な場所を探し求め、マタイエアという土地に居を構えました。

〔メンタルマッチョ伝説その❸ ……破天荒な自分を演出—— セルフプロデュース力〕

ゴーギャンのタヒチでの作品には、現地の女性を描いたものが多いということはよく知られていると思います。ゴーギャンは西洋のスタンダードな「美」ではなく、よりエキゾチックでプリミティブな「美」を追求しました。このことは彼の随筆『ノアノア』（タヒチ語で「かぐわしい香り」）にも記されています。一回目のタヒチ滞在後に書かれたこの『ノアノア』には、わずか十三歳の少女であった現地妻と過ごした日々が書かれているのです

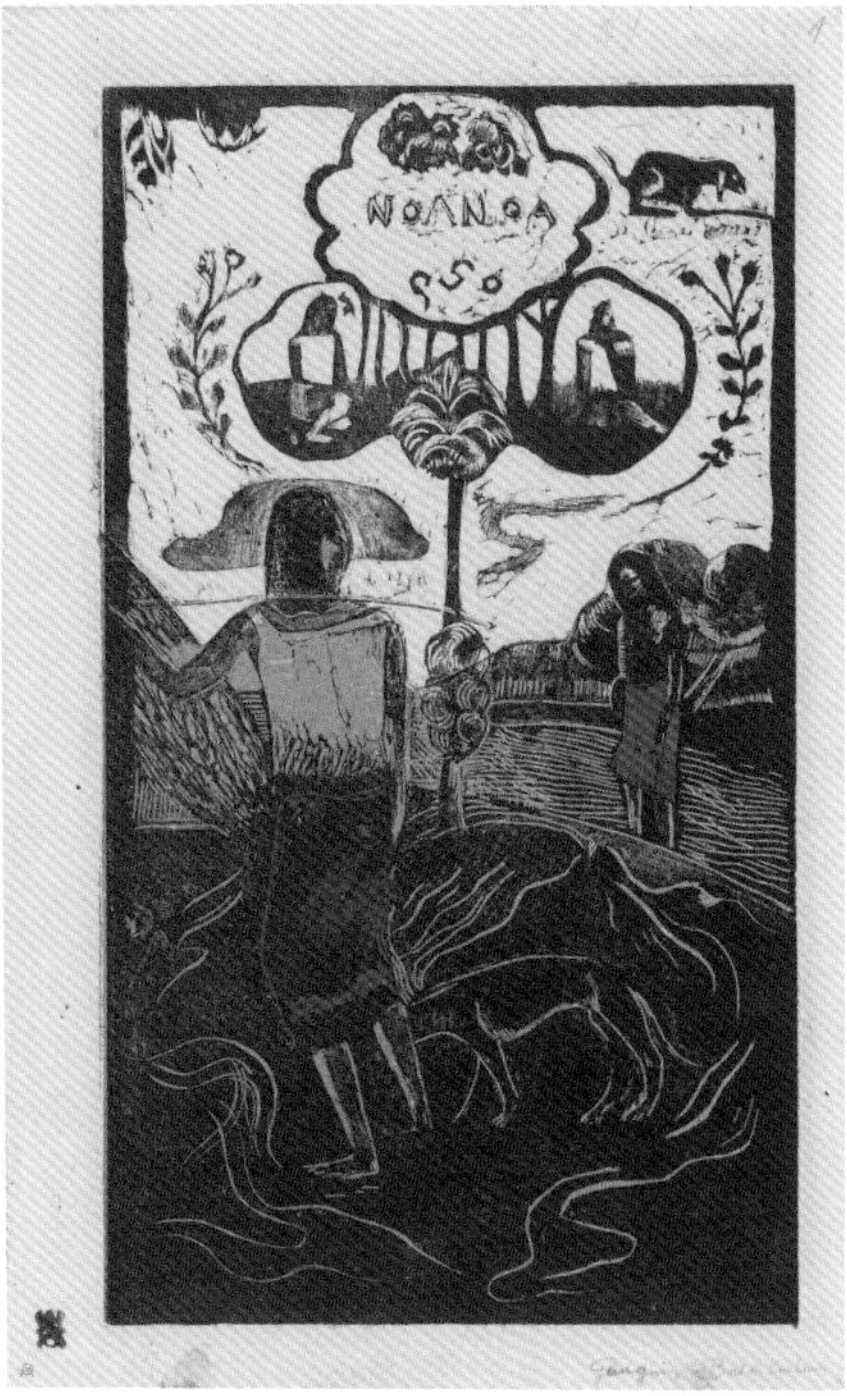

ポール・ゴーギャン《ノアノア》シリーズ、木版画
Noa Noa (Fragrant, Fragrant), 1894-1895
National Gallery of Art, Washington DC

が、かなり編集が入ったようで、どこまでがゴーギャンの生の声か分からない部分もあります。

実は、この随筆でゴーギャンが目指したのは、南国という神秘的なところに住む「野蛮な」アーティストという自身のイメージの構築です。ゴーギャンの絵画もライフスタイルも、パリの人々には恐らく破天荒に映ったでしょう。ゴーギャンは自分の伝説を自分で創り上げたという説はよく語られます。そのセルフプロデュースの甲斐あって、作品は売れるようになっていきました。

ゴーギャンは亡くなるしばらく前から病が悪化し、一時フランスに帰国することも考えたようです。しかし画家でコレクターの友人モンフレイは、タヒチにとどまるようゴーギャンにアドバイスしました。南国に住む狂気に満ちた「野蛮な」画家として知名度が上がってきているので、今更帰国するのはもったいない、ということだったようです。ゴーギャンは一九〇一年にはマルキーズ諸島に移り住んでおり、結局その地で一九〇三年に没しました。

〈メンタルマッチョ伝説その❹……「あなたのアートは好きになれない」――辛辣批判を敢えて公開〉

ゴーギャンは晩年、孤独と病、貧困の果てに自殺未遂を図っています。にもかかわらずこのエピソードの副題を「メンタルマッチョなゴーギャン」とした理由――それはゴーギャンの人並み外れた自信にフォーカスを当てたからです。ゴーギャンが自らの才能へのゆるぎなき自信を世に知らしめた、最たるエピソードをご紹介しましょう。

二度目のタヒチ渡航に向けて、ゴーギャンは一八九五年の二月に個展を

企画するのですが、その際、知人のスウェーデンの劇作家で画家でもあるアウグスト・ストリンドベリにカタログの序文の寄稿を依頼します。ところが、「あなたのアートは理解できないし、好きになれない」という理由で、ストリンドベリからその依頼を却下されてしまいました。

しかしその手紙を受け取ったゴーギャンはなんと、そのままその辛口批判の手紙と、それに対する自分の返信を序文として載せるという大胆な行動に出たのです！　ストリンドベリ自身もかなり前衛的な作家だったようですが、ゴーギャンは批判をまるで光栄に思っているかのようです。ストリンドベリは「拒絶がよりゴーギャンを強くする」と指摘していましたが、このエピソード自体がそのエビデンス《証拠》になっている、と言えるでしょう。

〔私たちはどこから来たのか〕

《我々はどこから来たのか？　我々は何者か？　我々はどこへ行くのか？》（図1）は数あるタヒチでの作品の中でも代表作だとされています。横三メートル以上、縦一三九センチという大判ものです。

作品の題名となっている三つの問いというのは人類共通の普遍的な問いであり、どの宗教や神話も触れているテーマです。私たちはなぜここにいて、なぜ死ぬのか、死んだ後はどうなるのか、神は存在するのか……。歴代のアーティストたちも挑んだこの難しいテーマに、ゴーギャンもまた真っ向から立ち向かいました。

この《我々は……》は、タヒチの神話を融合させながら、横長の作品の右側からストーリーを展開させています。赤ん坊で象徴される「生」から、左端に座っている老人に見る「死」への、人生の過程。リンゴのような果実を取っている、まるで旧約聖書のイブのような女性が真ん中に位置し、彼女がフォーカルポイント《焦点》に見えますが、実は左端の間もなく死を迎える老人がメインで、彼女が自分の人生を回想しているという解釈もできると思います。

ゴーギャンの死生観が表現されているこの作品が制作されたのは、二回目のタヒチ滞在期の一八九七年頃とされています。人生の中でも一番苦悩していた時期に制作されたものだったのではないでしょうか。友人のモンフレイへの手紙には、死ぬ前に大作を作りたかったこと、そして、一か月間は狂ったように日夜制作に取り掛かったことも告白しています。更にこの時期、ゴーギャンは孤独と病に苦しみ、経済的にもかなり困窮していて、悲惨な状態にあったことも綴られています。パリで作品が売れると、定期的にアート・ディーラーのジョルジュ・ショーデから送金があったのですが、しばらく入金がなく、失意のどん底に追いやられたゴーギャン。この《我々は……》の完成後にヒ素を飲み、未遂には終わりましたが自殺を図っていることから、ゴーギャンのそれまでの画家人生の全てが詰まった作品とされています。一人の人間として、そして画家としての最後のステートメント《声明》と言える作品でしょう。

注釈

（注１）primary source。当事者がその時々に書いた手紙、日記、手記、公文書や評論文などのオリジナルの資料や情報。当事者を取材した新聞や雑誌記事が含まれることもある。

参考文献

Gauguin, Paul / Brooks, Van Wyck (translation), Gauguin' s Intimate Journals, Dover Publications, Inc., New York, 1997

（図１）ポール・ゴーギャン《我々はどこから来たのか？ 我々は何者か？ 我々はどこへ行くのか》油彩
Paul Gauguin, *Where Do We Come From? What Are We? Where Are We Going?*, 1897-1898
Museum of Fine Arts, Boston

EPISODE 1

可愛さあまってに憎さ100倍!?〈その2〉

ハイリー・センシティブ男子、ゴッホ

ゴッホってどんな人？

皆が大好きな《ひまわり》のゴッホ。フィンセント・ファン・ゴッホ（一八五三―一八九〇）の絵は何故これほどまでに私たちを惹きつけるのでしょう？耳切事件、生前には一枚しか作品が売れなかったこと、三十七歳という若さで亡くなって自殺説もあり（注1）という、波乱に富んだ人生への興味が、注目を集める理由でしょうか。

作品から溢れ出る不器用ながらも誠実な彼の人間性、そしてそれを感じとることができる鑑賞者の共感性が相まって、時を超えてゴッホ人気を支えている

フィンセント・ファン・ゴッホ《ひまわり》油彩
Vincent van Gogh, *Sunflowers*, 1888 © The National Gallery, London, distributed by AMF

のではないかと思います。ゴッホは、弟のテオへ次のように書いています。

【(前略) 僕は絵の中で音楽のように何か人を慰めるものを語りたい。(後略)】
(『ゴッホの手紙(中)』J.V.ゴッホ-ボンゲル編、硲伊之助訳、岩波書店、二〇〇八年、二一五頁)

十分な背景を知らなくても、作品を前に私たち鑑賞者が心揺さぶられる理由が、この言葉に集約されています。とは言え、ゴッホが残した数多くの手紙を読んで、ゴッホの人となりや作品への想いを理解することも、鑑賞者により深い感慨をもたらしてくれます。ピュアな人柄は昨今耳にするようになった、芸術家肌の人に多いとも言われている「ハイリー・センシティブ・パーソン(HSP)」の典型とも思えますが、彼は勉強熱心な読書家で、リベラルアーツに精通するインテリという側面もありました。ゴッホ本人をはじめ、テオや妻ヨハンナ(通称ヨー)の手紙や回想録を通して彼の激動の人生を辿り、名画誕生の軌跡を追っていきましょう。

〔ゴッホのアート流儀と人生哲学〕

十代の頃から職を転々としていたゴッホ。伯父の勧めで画商や本屋に勤めたり、また牧師だった父の影響から、聖職者になるための勉強もするのですが、いずれも長続きしませんでした。ゴッホは画家という自分の天職に出会うまで、アルバイトやニートを繰り返しながら二十代後半まで人生を模索していました。三十七年間の生涯で、絵を描いていたのは最後の十年間と言われています。

弟テオが、経済的・精神的援助の手を差し伸べ、ゴッホが故郷オランダからパリに渡ったのは一八八六年。このテオの献身的なサポートにより、ゴッホは後半の全人生をアートに捧げることができました。私たちがよく美術館で見かけるあの色彩豊かなゴッホの名画たちは、亡くなる一八九〇年までのたった四年間で制作されたものです。

オランダからパリへと渡ったゴッホは、その地で既に画商をしていたテオのアパートで同居を始めます。しかし兄弟愛があっても、一緒に住むとその関係に軋みが生じました。テオは勤め先であるモンマルトルにある画廊で印象派のプロモーションに懸命に取り組んでいました。しかし「前衛的なアート」とみなされていた印象派の作品は、画廊で全面に推すことはできません。やむを得ず、夕方から数時間だけ、有志のみに展示を公開していました。そこでは美術通とのディスカッションがエンドレスに続くことも……。疲れて家に帰宅すると、今度は兄が美術談義をしようと待ち構えている、そんな毎日にテオは神経をすり減らしていきました。ゴッホとテオの死後、テオの妻ヨハンナは『フィンセント・ファン・ゴッホの思い出』という回想録を出版していますが、そこには憔悴していくテオの様子が綴られています。

【(前略)くたくたになって帰宅したらしたで、夜もまったく休むことができなかった。せっかちで自分勝手なフィンセントが、美術や美術作品の取引について持論を講釈しはじめるからだ。(中略)フィンセントの講釈は夜遅くまで続き、ときにはテオのベッドの脇にある椅子に座り、最後まで言いたいことを話しきるまで動かないこともあった。(後略)】

(『フィンセント・ファン・ゴッホの思い出』ヨー・ファン・ゴッホ＝ボンゲル著、林卓行監訳、吉川真理子訳、東京書籍二〇二〇年、一三六頁)

フィンセント・ファン・ゴッホ《自画像》油彩
Vincent van Gogh, *Self-Portrait*, 1889
National Gallery of Art, Washington DC

EPISODE.1

ハイリー・センシティブ男子、ゴッホ

兄弟のアート議論の最後は、いつも口喧嘩で締めくくられました。テオを悩ますゴッホの行動はこれだけではありません。ゴッホは普段から部屋は散らかし放題、友人たちは誰も寄り付かなくなり……。兄に対して募っていく不満をテオは妹への手紙に書き綴り、嘆いていました。

そんなゴッホでしたが、ある憧れをきっかけにテオとの共同生活を解消します。ゴッホが魅せられていたのは遠く離れた地、日本。浮世絵の色鮮やかさに魅了され、自ら作品をコレクションしていました。浮世絵に見る日本に近いものがあると信じて、パリを後にして目指した地が、眩い光が溢れる南仏アルルでした。

【（前略）たとえ物価が高くても南仏に滞在したいわけは、次の通りである。日本の絵が大好きで、その影響を受け、それはすべての印象派画家たちにも共通なのに、日本へ行こうとはしない——つまり、日本に似ている南仏に。結論として、新しい芸術の将来は南仏にあるようだ。（後略）】

（『ゴッホの手紙（中）』J．V．ゴッホ－ボンゲル編、硲伊之助訳、岩波書店、二〇〇八年、一〇五頁）

南仏をベースとしたアーティスト・コミュニティを作るというのがゴッホの夢でした。今でいうアーティスト・イン・レジデンス（AIR）（注2）のようなものですね。

しかし、何をするにも費用がかかります。ゴッホの絵は描けば売れるというわけでもなく、一筋縄ではいきません。では「売れる作品、売りやすい作品」を作れば良いのでは？しかしゴッホの信念はそれを良しとしませんでした。

【（前略）僕は毎日とても早起きして、昼も夜もよく食べ、疲れを感じないで断えず仕事ができた。しかし、われわれの生きている今の時世は、われわれの描いたものには値がつかないし、売れないばかりか、ゴーガンを見てもわかる通り、絵で金を借りようとしても誰も貸してはくれない。たとえそれが僅かな金額でしか

も立派な絵でもだよ。だから当てのない生活に追い込まれているのさ。われわれの生きているあいだ、この状態は変らないんじゃないかしら。でも、後から来る画家たちのために、もっと豊かな生活を準備できるなら、これもまた意味のあることだろう。それにしても人生は短いし、まして何にでも挑《いど》みかけるだけの気力のある年齢は、さらに短いものだ。ともあれ恐るべきは、新しい絵が価値を認められると同時に、画家たちが呆けてしまうことなのだ。いずれにしてもたしかなことは、われわれは現在頽廃の中にはいないということだ。ゴーガンやベルナールは今、「子供の絵」のように描くことについて語っている。僕も頽廃した絵よりはその方が好ましい。（後略）】

（『ゴッホの手紙（中）』J．V．ゴッホ－ボンゲル編、硲伊之助訳、岩波書店、二〇〇八年、二〇七～二〇八頁）

十八世紀イギリスを代表する肖像画家で、ロイヤル・アカデミー初代会長でもあったレイノルズが言う「俗人が好む作品に作家が合わせると作家は堕落してしまう」という内容に通じるものがあります（ラファエロ p.125）。作家とは常に「新しい価値」を追い求めているものなのでしょう。しかし自らの歩む道の選択を避けては通れません。ゴッホは、自身のアーティストとしての在り方について、次のようにテオに書き送っています。

【（前略）もしたとえ僕が成功しなくても、僕のやりかけていた仕事が続けられるという信念だ。直接でなくとも、真実の事がらについて考えるのは決して自分一人ではないはずだ。個人の場合は問

EPISODE.1

ハイリー・センシティブ男子、ゴッホ

Even if I don't succeed, my work will still be continued.

題じゃない！ 僕は人の生涯は麦の生涯のような気がして仕方がない。もし芽を出すために地に蒔《ま》かれなかったら、どうなるだろう、粉にされてパンになってしまう。幸運と不運の違いだ！ 双方とも必要だし、有用でもあり死とか消滅も同じように……関連があるし……人生も無論だ。たとえ狂った心配な病気に罹《かか》ってもこの信念は決してぐらつかない。（後略）】

（『ゴッホの手紙（下）』J．V．ゴッホ－ボンゲル編、硲伊之助訳、岩波書店、二〇〇七年、二〇四～二〇五頁）

この手紙を書いた後、ゴッホは以前から患っていた病が悪化しますが、言葉通りに自分の信念を貫きました。人生を麦に例えていますね。聖書のヨハネの福音書にも「一粒の麦は、地に落ちて死ななければ一粒のままである。だが、死ねば多くの実を結ぶ」とあります。アートの流儀を曲げずに種を撒き植え付ける。それが次世代で多くの実を結ぶだろうと、伝えたかったのでしょう。もちろん富を得るために魂を売り世俗に合わせる、そういう生き方もある。信念から生み出すアートと生活の糧とするアート、両方の必要性を理解しながらも、ゴッホは前者を選んだのでした。自分という小さな枠を取り払い、時代を見通した上での幸福をゴッホは考えていたのでしょう。この発想はいかにも彼らしいですね。

ゴッホは大量の作品を残し亡くなります。弟テオも、これらの兄の作品の処遇を決めるいとまもなく、半年後に病死してしまいます。生前、兄の作品をどうにか世に出す術はないものかと手を尽くしていたテオ。その無念さはいかば

かりだったでしょう。妻ヨハンナの回想録によると、テオは妹への手紙に、ゴッホの才能を信じる思いを綴っています。

【（前略）フィンセントの場合は、やっぱりこのまま同じように助け続けるよりほかないんだ。彼が芸術家であることはまちがいないし、いま制作している作品がいつもうまくいっているわけではないけれど、いつか必ずものになる日がくる。そのとき彼の作品は崇高なものになるだろうけど、そうなったとき彼にふだんから制作させてあげていなかったとしたら、ひどく残念なことじゃないか。どれほど浮世離れした兄でも、制作がうまくいけば、その絵が売れはじめる日はきっとやってくるよ……。（後略）】

（『フィンセント・ファン・ゴッホの思い出』ヨー・ファン・ゴッホ＝ボンゲル著、林卓行監訳、吉川真理子訳、東京書籍二〇二〇年、一三九頁）

一番の理解者であったテオという存在亡き後、行き場を失ったかのように思えたゴッホの作品。どのようにして見出され、今の高い知名度を得るに至ったのでしょうか。キーパーソンとなったのはテオの妻、ヨハンナでした。

〔結実したゴッホの魂〕

ゴッホが亡くなる前年一八八九年春、テオはヨハンナと結婚しました。それまで、テオの愛情と経済的支援を一心に受けていたゴッホにとってはショッキングな出来事だったのかもしれません。しかし結婚が決まってから祝福の言葉を手紙にしたためて、再三に渡りテオに送っています。テオが結婚するということは自分の幸福だ、自分のことはさておき、テオはもう一人で暮らさなくても良いのでとても嬉しく思う……と。テオとヨハンナ、そして後に生まれてくる甥フィンセント・ジュニアへの心からの思いやりと愛情あふれる言葉が並んでいます。

ゴッホの誠意が伝わったからか、家にある大量の作品ストックからゴッホの画家としての才能を感じとっていたからか、テオとの結婚生活がわずか二年弱だったのにもかかわらず、ヨハンナはゴッホの作品が世に出るようにプロモーション活動を開始します。もちろんテオへの深い愛がベースにあったのだと思います。

更にヨハンナは、何百通とあったゴッホの「手紙」を全てまとめ、編集もしています。本書で引用している言葉もヨハンナ編のものです。ヨハンナは手紙こそがゴッホの作品、そして人物を理解する上での重要なアイテムである、と考えたのです。女性がアート・マーケットの世界に足を踏み入れるのは大変困難な時代でしたが、ヨハンナはその手腕を発揮し、知り合いの画商たちをも巻き込みながらゴッホの作品を売っていきます。そして画商たちの繋がりは、偉大なるゴッホのパトロンを引き寄せます。ヘレーネ・クレラー＝ミュラーです。ほぼ無名だったゴッホの魅力に彼女はいち早く気付き、絵画やスケッチなど合わせて約三〇〇点を収集しています。オランダのクレラー＝ミュラー・ミュージアムは彼女のコレクションをもとに開設された美術館です。

ゴッホが作品に込めたピュアな魂の種は、テオ、ヨハンナ、フィンセント・ジュニア（ゴッホ美術館の設立に関わった）によって大切に育まれ、ヘレーネ・クレラー＝ミュラーというパトロンを得て見事に開花しました。そして時代を超えて、私たちは今作品の前に立ち、ゴッホの魂が詰まったその実を収穫し味わうという喜びを享受しているのです。

ゴッホは短い人生の中で、身体的・精神的・経済的な苦労はありましたが、それでも好きなことに没頭できるという幸せの中にいたのだと思います。ゴッホは悲劇の画家ではなく、幸福の画家だったのかもしれません。

〔全ては自然への愛から〕

【（前略）日本の芸術を研究してみると、あきらかに賢者であり哲学者であり知者である人物に出合う。彼は歳月をどう過ごしているのだろう。地球と月との距離を研究しているのか、いやそうではない。ビスマルクの政策を研究しているのか、いやそうでもない。彼はただ一茎の草の芽を研究しているのだ。ところが、この草の芽が彼に、あらゆる植物を、つぎには季節を、田園の広々とした風景を、さらには動物を、人間の顔を描けるようにさせるのだ。こうして彼はその生涯を送るのだが、すべてを描きつくすには人生はあまりにも短い。いいかね、彼らみずからが花のように、自然の中に生きていくこんなに素朴な日本人たちがわれわれに教えるものこそ、真の宗教とも言えるものではないだろうか。日本の芸術を研究すれば、誰でももっと陽気にもっと幸福にならずにはいられないはずだ。われわれは因襲的な世界で教育を受け仕事をしているけれども、もっと自然に帰らなければいけないのだ。（後略）】

（『ゴッホの手紙（中）』J．V．ゴッホ－ボンゲル編、硲伊之助訳、岩波書店、二〇〇八年、二七四頁）

ゴッホはテオにこう書きました。ゴッホが日本の浮世絵に魅了

フィンセント・ファン・ゴッホ《薔薇》油彩
Vincent van Gogh, *Roses*, 1890, National Gallery of Art, Washington DC

EPISODE.1

ハイリー・センシティブ男子、ゴッホ

され、日本にインスパイアされたことは有名な話ですね。彼は自然を愛し、常に追究していました。そしてそれを描くには、テクニックを重視した古典的な画風を用いるのではなく、実際に自然の中に入り、その場の空気と光を感じながら描くのが大事だと考えていたのです。

【（前略）ああ親愛なテオよ、この頃のここのオリーブ樹を君に見せたい……葉は渋銀と青に対して銀緑色。そしてオレンジがかった耕した土がある。それは北方で想像するものとはまるきり違って、繊細で、高尚なものだ。（後略）】
（『ゴッホの手紙（下）』J．V．ゴッホ－ボンゲル編、硲伊之助訳、岩波書店、二〇〇七年、一四二頁）

そよ風が麦畑をカサカサと揺らす音、小鳥のさえずり、虫の音や太陽の熱、花の香り……ゴッホが描く植物や風景を前に、鑑賞者は五感をくすぐられます。ゴッホは自然から感じとったそのままを絵に込めて表現しました。感動を人々に伝えずにはいられない衝動が、ゴッホがキャンバスに向かう原動力となっていたのです。

バルビゾン派や印象派が登場する以前は、多くの画家は、モデルなどのスケッチをもとに、スタジオ内で作品を制作していました。しかしゴッホは、外に出て描くことにこだわります。外ではスタジオ内とは違い思わぬハプニングが起こ

フィンセント・ファン・ゴッホ《オリーブの木》油彩
Vincent van Gogh, *Olive Trees*, 1889, The Metropolitan Museum of Art, New York

りますが、それも作品のうち。夏には灼熱の太陽の下で、冬には雪の中で、自分も自然の一部となってその体験をキャンバスに表現することが大事だと考えていました。農夫たちを描く時も彼らと生活を共にして描く、そうすることで絵が生きてくる、そう確信していたのです。彼の作品から自然や人間への愛情が感じられる理由は、このゴッホの姿勢にあるのでしょう。

【（前略）当地の自然をつかむのには、どこでも同じだが長く滞在することが条件だ。（後略）】
（『ゴッホの手紙（下）』J．V．ゴッホ－ボンゲル編、硲伊之助訳、岩波書店、二〇〇七年、一八八頁）

一時は聖職者を目指していたゴッホですが、その後「神」はいなくても、自分の創造力さえあれば生きていけるとテオに語っていました。ゴッホの創造力の源となったのは「自然」であり、「自然」は「神」の創造物であるというキリスト教的な考えを鑑みると、ゴッホは「自然」と向き合うことによって、「神」の癒しを受けていたのではないか、と思えてきます。

注釈
（注1）基本的には自殺説が有力だが、二〇一一年頃からこれを疑問視する説も出てきた。
（注2）Artist in Residense ＝アーティスト・イン・レジデンス。各国のアート団体から招かれた国内外のアーティストが、一定期間同じ土地に滞在し、制作から発表まで行う。

フィンセント・ファン・ゴッホ《糸杉のある麦畑》油彩
Vincent van Gogh, *Wheat Field with Cypresses*, 1889, The Metropolitan Museum of Art, New York

column 01

見えないものを描くか、見えるものを描くか

ダウンロード or アップロード

南仏アルルで共に制作する中で、ゴーギャンとゴッホはアートに関するコンセプトの違いを感じ始めます。ゴーギャンは印象派のことを「彼らは眼で見たものを重視し、心の奥にあるものの探求はしなかった」と言っています。あくまで「ものの外観を捉える」というリアリズムを基本としていた印象派主義に物足りなさを感じ「アイディア」を重要視したいと考えました。

【（前略）自然をあまりに模倣してはいけない。芸術とはひとつの抽象なのだ。自然の前に立って夢見ながら、そこから抽象を引き出してくるのだ。そして結果よりも創造という行為について考えたまえ。（後略）】

（『ゴーギャン―私の中の野性』フランソワーズ・カシャン著、高階秀爾監修、田辺希久子訳、創元社、二〇〇九年、四十四頁）

一方ゴッホはとにかく自然を観察して描くというスタイル。彼自身、屋外での制作を基本とした印象派をベースにしていると言っていました。ゴッホが印象派ではなく「ポスト」印象派にカテゴライズされる理由は、印象派に比べ「より本人の主観や世界観が出ていること」にあります。

ゴッホはゴーギャンが勧める「抽象化」に基づいて制作を試みますが、どうもしっくりきません。行き詰まっ

column. 01

たゴッホは「抽象化」をあきらめます。友人のベルナール宛に、自分のこの「実験」について書いています。

【(前略)ゴーガンがアルルにいた頃、君も知ってるように、一二度は、《揺籃》や黄色い書斎のなかの黒を扱った《小説を読む女》のように僕は抽象的になったこともあった、抽象は魅力的な方向のような気がしたのだ。果してそれは素晴らしい場所だろうか!だが、すぐ壁に突き当ってしまうんだ。(後略)】
【(前略)間違えてかえって本道を発見するものだ。さあ、君のうちの庭をありのままか自分の考えで描いて、その分を取りもどしてみたまえ。(後略)】
(『ゴッホの手紙(上)』エミル・ベルナール編、硲伊之助訳、岩波書店二〇〇四年、一九二頁、一九五頁)

コンセプトの違いをまとめてみましょう。

- ゴーギャン:内面を表現するために記憶から描く。記憶を基にすると、モチーフの本質を捉え、印象に残ったことを抽象化しやすくなる(=目に見えないものを描く)
- ゴッホ:モチーフを目の前に置いて描く。色彩で感情を豊かに表現する(=目に見えるものを描く)

現代の欧米で主流の「コンセプト型」と「プロセス型」のアート。NYやロンドンのようなアートの中心地では「コンセプト型」が目立ちます。これはゴーギャンのように「アイディアありき」の作品。それに対し「プロセス型」はゴッホのようにまず描き、さまざまな技法や画風やメデュームを実験的に使いながら制作するという、その過程を重視する方法です。

アメリカ人の知人のアーティストは「プロセス型」と「コンセプト型」の違いは、手から頭に「アップロード」するか、頭から手に「ダウンロード」するかにあると言っていました。その人自身はプロセス重視。手を使って描く過程が何かを「引き出し」、それらを頭に「アップロード」できると（ドローイング＝drawingという言葉はdraw＝引き出すという動詞から来ています）。これはまさに、アップロードのゴッホとダウンロードのゴーギャンのことではないでしょうか。

ゴーギャンとゴッホの考え方は美術界に大きく貢献し、現代の絵画制作における二大手法になっています。二人から派生した印象派以降の美術の流れを理解すると、現代アートを鑑賞する際のヒントになるでしょう。

▼友情のしるし「ひまわり」

アルル行きに悩んだゴーギャンは、テオが作品の販売サポートをするという条件で決心しました。ゴッホはテオへの手紙の中でゴーギャン！ゴーギャン!! ゴーギャン!!! と狂喜しています。どれだけ好きだったのでしょうか。ゴッホはその想いをひまわりの作品に込め、ゴーギャンの部屋に飾りました（p.015《ひまわり》参照）。ひまわりに出迎えられたゴーギャンはどう感じたのでしょう？

【（前略）私の部屋では、緋色の蕾を持つひまわりが、黄色の地から浮かび出ている。ひまわりは、黄色いテーブルの上の黄色いつぼにいけてある。絵のすみには、ヴィンセントという、彼の署名が入っている。そして私の部屋の黄色いカーテン越しに黄色い太陽がさしこんで、こうした花々すべてを金色に染める。朝、目がさめたとき、寝台の中で、私は、こうしたものはみなとてもいい匂いがする、と思う。（後略）】

column.01

（『ゴーギャン　オヴィリ〜一野蛮人の記録』ダニエル・ゲラン編、岡谷公二訳、みすず書房、一九八〇年、二九六頁）

共感覚（synesthesia）を思わせる素敵な感想です。共同生活から十年後の一八九八年、タヒチのゴーギャンは、パリの友人モンフレイに庭に植える植物の種を送るよう頼んでいます。ダリアやキンレンカと共に注文したのは、ひまわりの種。一九〇一年にひまわりの絵を四点ほど描きます。画商のリクエストかもしれませんが、人生の最後にゴッホとの友情を思い出したのではないでしょうか。

ゴーギャンのひまわり作品の中には、ゴッホとの和解を願うようなシンボルを含んだ作品（「希望」を擬人化したピュヴィス・ド・シャヴァンヌの絵を左上に描き込んだりなど）もあります（図1）。晩年、孤独や病と闘っていたゴーギャンは、ゴッホの強い愛にやっと気が付いたのかもしれません。ひまわりという花は常に太陽を追いかけるように、一人だけを見つめているようです。ずっとゴーギャンを見つめていたゴッホでしたが、没後十数年経ってから、ようやくゴーギャンにも見つめ返されることになったのですね。

フィンセント・ファン・ゴッホ《ひまわり》油彩
Vincent van Gogh, *Sunflowers*, 1887
The Metropolitan Museum of Art, New York

アルル渡航前のゴッホのひまわり作品。ゴーギャンとパリで作品交換した際のもので、しばらくの間ゴーギャンがもっていた。

（図１）ポール・ゴーギャン《椅子の上のひまわり》油彩
Paul Gauguin, *Sunflowers on a Chair* (*Still Life with "Hope"*), 1901
Christie's Images, Artothek, Alinari Archives, distributed by AMF

画面左上にピュヴィス・ド・シャヴァンヌの「希望」を擬人化した絵が描き込まれている。

EPISODE

2

登場人物

主人公
ミケランジェロ
彫刻家

ミケランジェロ・ブオナローティ

生没年 1475–1564 年

出身地 イタリア

代表作
《ピエタ》《ダヴィデ像》
《ユリウス二世の墓廟》《創世記》
《最後の審判》

ユリウス二世
教皇

ヴィットリア
詩人・未亡人

トンマーゾ
若き美青年

EPISODE 2

教皇の愛から逃れるすべはない

才能がありすぎたミケランジェロの、苦悶と愛

成功者の苦悩とさまざまな愛の形

ルネサンスアート界のスーパースターと言えば、天才・ミケランジェロ。自信家で「俺様」キャラが定番のイメージですね。

エピソード2では、今までの常識を覆すような、ミケランジェロの人間味溢れる魅力をご紹介します。「俺様」ミケランジェロも、もがき苦しみながらあの《創世記》（図1）の天井画制作に当たっていたこと。また、深い愛情で家族や友人たちを大切にする、心優しき男という一面も持っていたこと。プライマリーソースである手紙や伝記を、古代哲学や聖書という西洋文化の根底に流れる思想をベースにひも解き、ミケランジェロの素顔に迫ります。

〔マルチな天才の苦悩の軌跡〕

旧約聖書の中にこのような一節があります。

（図1）ミケランジェロ・ブオナローティ《創世記》フレスコ
Michelangelo Buonarroti, *Stories of the Genesis*, 1508-1512
Sistine Chapel, Vatican Museums, Vatican City
World History Archive, Alinari Archives, distributed by AMF

手紙
伝記
詩

EPISODE.2

才能がありすぎたミケランジェロの、苦悶と愛

【（前略）実に、知恵が多くなれば悩みも多くなり、知識を増す者は悲しみを増す。（後略）】
（『伝道者の書』1—18）

ミケランジェロについて考える時、私はこの聖句を思い出します。もともとはソロモン王が神に依らず人生の探究を試みた結果辿り着いた境地、という「哲学的」な言葉ではあるのですが、文脈を考えずに単純に読むと、まさにミケランジェロの苦悩を表しているかのごとく感じます。

知恵と知識はもちろん、多方面に渡る才能そのものが、誰よりも飛び抜けていた天才ミケラジェロ。しかし、逆にその超人的な才こそがミケランジェロ自身を苦しめ、自分の足を引っ張ることになるという、皮肉な結果をもたらしたことをご存知でしょうか。

本来彫刻家として認められ、自身も活動の主眼を彫刻に据えていたミケランジェロは、若き日に制作した《ピエタ像》と《ダヴィデ像》で一気に有名になり、パトロンたちからの注文が続くという、彫刻家として順風満帆なスタートを切りました。加えて彼には絵画、建築の才があり、また素晴らしい詩人でもありました。壁画は苦手としていましたが、ローマ教皇に依頼されると持前のオールラウンドな才能を発揮し、完成度の高いものを作り上げました。その後の歴代の教皇たちや関係者から、彫刻や壁画以外にも図書館や礼拝堂の設計から聖ペテロ大聖堂のドームの設計まで、次から次へと依頼が入ります。迅速な仕

事、高い顧客満足度を誇った有言実行の男ミケランジェロは、夢想家であったレオナルドとは対極的でした。しかしその結果、生涯に渡って建築や絵画の依頼に忙殺され、本業である彫刻になかなか専念できないフラストレーションに苛《さいな》まれていました。ミケランジェロが苦悩する姿は、ユリウス二世との関係性をひも解くことで、より一層浮かび上がってきます。

〔ミケランジェロとローマ教皇ユリウス二世〕

八十八歳まで生きたミケランジェロは歴代のローマ教皇から仕事の依頼を受けていました。とりわけ、芸術愛好家であったユリウス二世とは親密な関係にありました。「神様の代理人」とも称された教皇たちは教会を率いる人物であると同時に、政治的・軍事的指導者でもありました。中でも「戦う」教皇として知られていたユリウス二世は気性が激しかったと伝えられています。一方ミケランジェロも、ユリウス二世に負けず劣らずの激しい気性の持ち主で、相手が誉れ高い人物であろうと気にせずに言いたい放題、自らの主張を譲らなかったと言われています。二人とも強気なので、口論もありました。しかし、ぶつかり合いながらも心の奥底では信頼し合っていました。

ユリウス二世とミケランジェロの深い関係性を現代の世に伝えた人物が、ジョルジョ・ヴァザーリとアスカニオ・コンディヴィの二人。ヴァザーリはルネサンスの芸術家たちの伝記を、コンディヴィはミケランジェロの生涯を書いた伝記で有名です。二人ともミケランジェロと交流があり、友人関係にありました。よって、彼らの著

EPISODE.2

才能がありすぎたミケランジェロの、苦悶と愛

作物こそ本当の意味でのプライマリーソースです。しかし当の主役のミケランジェロは、ヴァザーリが書いた内容が気に入らなかったようで、コンディヴィには、かなりの部分をミケランジェロ本人のコントロール下で執筆させたという話も残っています。ミケランジェロの人物像の一片を表していますね。

これらヴァザーリとコンディヴィが書いた伝記、及び現存する手紙をもとに、ユリウス二世の墓碑とシスティーナ礼拝堂の天井画、この二作品の制作エピソードにフォーカスを当て、悩める「俺様」な天才ミケランジェロと「戦う教皇」ユリウス二世との、激しくも微笑ましい関係性を見ていきましょう。

〔お墓の悲劇〕

一五〇五年にユリウス二世は自分の墓碑を作るよう、ミケランジェロに命じました。そのオリジナルのプランは、およそ七メートル×十メートルの三段、彫刻四十体ほどを要する巨大プロジェクトだったと言われています。完成に五年間かかるとされていました。本業の彫刻に本格的に取り組めると発奮したミケランジェロは、早速使用する大理石を探しにカラーラ（採石場で有名）に八ヶ月間滞在しました。心躍らせていたに違いありません。

しかし時間が経つにつれ、ユリウス二世本人は、自分の墓への興味が薄れていきます。加えて隣国との戦いに戦費もかさみ、材料購入時に費用をその都度受け取っていたミケランジェロの不安は次第に増していきました。

自分の墓プロジェクトどころではなくなったユリウス二世に対して、苛立ちを抑えきれなかったミケランジェロは、一五〇六年にユリウス二世の側近に次のような口調で手紙を出しています。何とかして教皇に気を変えてもらい、このプロジェクトを続行したいという焦りと、半ば諦めの気持ちが混在した文章となっていました。

【（前略）それでも、出発に先立って猊下に制作続行用のわたしの必要経費の一部を請求いたしました。猊下は、月曜日にもう一度参れと答えられました。わたしは月曜日、火曜日、水曜日、木曜日に参上したこと、猊下もご存じのとおりです。最後に金曜日の午前にわたしは外に追い出された、つまり追っ払われたのです。（後略）】
（『ミケランジェロの手紙』ミケランジェロ著、杉浦明平訳、岩波書店、一九九五年、十三頁）

「火曜日も、水曜日も……」と恨みがましく書

（図2）（左図）彫刻：The Tomb of Julius II in San Pietro in Vincoli in Rome, 1505-1545
Alinari Archives, Florence, distributed by AMF
ミケランジェロ・ブオナローティ Michelangelo Buonarroti《ユリウス二世の墓廟》
（右図）ドローイング：Design for the Tomb of Pope Julius II della Rovere, 1505-1506
Metropolitan Museum of Art, NY
ドローイングは、メトロポリタン美術館が所有するオリジナル図面の一部。

き連ねているところから、ミケランジェロのフラストレーションが見えてきます。側近に宛てた手紙は教皇に直接読み上げられる可能性もあることを覚悟の上だったのでしょうか。

またコンディヴィの伝記によると、ミケランジェロ排除計画をライバルたちが企てていたようなのです。

【(前略)ところが墓碑の方は依然として作らせる気がなかったので、法王は、ブラマンテやその他ミケランジェロの敵の差金《さしがね》で、宮殿内のシクストゥス四世の礼拝堂《カペッラ》の天井を描かせようという気になった。かれらは、ミケランジェロがそこで奇蹟的な技倆を示すにちがいないという希望を、法王にもたせたのである。法王の気持から彫刻のことを引き離してしまおうという悪意から、かれらはこの企みを行ったのであった。ということは、ミケランジェロがその仕事を引き受けなければ、みずから法王に逆《そむ》く結果になるであろうし、よしそれを引き受けるにしても、彼の主要な術《わざ》が（実際そうであるように）彫刻であることから見れば、ラファエッロ・ダ・ウルビーノ――これにかれらは、ミケランジェロを憎んだばかりに、無条件に好意をもっていた――に較べて、はるかに拙劣《まず》い結果しか得られないにちがいないと、きめこんでいたからである。かつて絵具を使ったことがなく、また円《まる》天井を描くことの難しさを熟知していたミケランジェロは、ラファエッロを推薦して、それは自分の得意とする術《わざ》でもないし、成功もしないだろうからと断り、懸命にそれから逃れようとした。そしてあまりにも拒みつづけたので、法王はほとんど怒り出してしまった。(後略)】

(『ミケランジェロ伝〈全2巻〉―付ミケランジェロの詩と手紙―(美術名著選書21)』A．コンディヴィ著、高田博厚訳、岩崎美術社、一九七八年、五十八頁)

文中にあるシクストゥス四世の礼拝堂とは、システィーナ礼拝堂のこと。ユリウス二世の時代になって新しい天井画をミケランジェロに発注しました。この記述から分かる通りミケランジェロは、苦手とした壁画制作を仕方なく引き受けることになったというのが裏事情としてありました。ミケランジェロの、このシスティーナ礼拝堂の天井画があまりにも有名で、つい彼は「画家」であると思いがちですが、彼にとっては「彫刻」こそが何よりも大切で、自他共に認める天職だったことが分かります。

大口の発注が相次ぐミケランジェロへの周りのアーティストからの嫉妬はかなり強烈だったようです。ライバルのブラマンテがミケランジェロを暗殺する計画を立てたので、彼はローマから実家のあるフィレンツェへ逃げたという説もあります。ブラマンテの陰謀説はミケランジェロの妄想だったのか、本当だったのかは実際のところは不明ですが、いずれにせよローマはミケランジェロにとっては何かとわずらわしい場所となり、彼は故郷フィレンツェで、墓碑の制作を継続したいと願ったのでした。

この後、ユリウス二世とは復縁しますが、激しく感情をぶつけ合う関係は続きます。結局、お墓が完成したのは一五四五年でした。最初にミケランジェロが依頼を受けたのは一五〇五年でしたが、途中、前述した戦費膨張などの理由で中断が度々あり、制作中の一五一三年、ユリウス二世は亡くなっています。このことからユリウス二世のお墓プロジェクトは「お墓の悲劇（Agony of the Tomb）」と呼ばれています。最終的にミケランジェロは教皇の後継者たちと再契約を交わし、もともとの注文よりはかなり縮小されたバージョンで仕上げられ、現在は、ローマのサン・ピエトロ・イン・ヴィン

Jealous of Michelangelo...
ライバル・ブラマンテ

コリ教会に霊廟が安置されています（図2）。

〔天井画《創世記》〕

嫌々ながらも取り掛かることになったシスティーナ礼拝堂の天井画。旧約聖書の『創世記』をテーマに、「天地創造」などを含む九つの場面からできています。天井画プロジェクトの契約書のサインはあくまで「彫刻家、ミケランジェロ」。父親に宛てた手紙では不満を爆発させた文面をしたためていて、ミケランジェロにとってこの仕事がいかに気乗りがしないものであったかが伝わってきます。

天井画作業中に書いた詩の一番最後の節には、次のように書かれています。「この場所」というのは制作中だったシスティーナ礼拝堂のこと。

【（前略）さあジョバンニよ俺の面目のためにも
この色つや悪い絵を弁護してくれ
場所もひどいし　絵描きでない俺（後略）】

（『須賀敦子全集〈第5巻〉―イタリアの詩人たち、ウンベルト・サバ詩集［翻訳］、ミケランジェロの詩と手紙［翻訳］、歌曲のためのナポリ詩集17世紀～19世紀［翻訳］』、河出書房新社、二〇〇〇年、三六四頁）

ミケランジェロ・ブオナローティ
《リビアの巫女のための習作》
ドローイング
Michelangelo Buonarroti,
Studies for the Libyan Sibyl,
c. 1510–1511, The Metropolitan Museum of Art, New York

天井画の下描き

ミケランジェロは晩年、「絵画と彫刻」は、芸術という観点での比較において優劣をつけがたいとの認識を持つに至ったようですが、若い頃は絵画、特にイーゼル画のことを下に見ていました。その結果としてなのか、現存するミケランジェロが完成させたイーゼル画作品は一枚とされています。彼にとって絵画に割く時間は「無駄」だったのです。

〔激しくも、微笑ましい関係〕

天井画を描いていたある日、祝祭日で実家に帰りたいとミケランジェロがユリウス二世に申し出た時の、このようなやり取りが残っています。一体いつ完成するのかと聞いた教皇に、ミケランジェロは次のように答えています。

【（前略）「私ができるときです。法王様」（後略）】
（『芸術家列伝3』ジョルジョ・ヴァザーリ著、田中英道・森雅彦訳、白水社、二〇一五年、九十二頁）

教皇はこれに気を悪くしたとありますが、こんな決裂を思わせる状況にあっても結局のところ、自宅に戻ったミケランジェロに、法王のお付きが実家に帰るためのお金を持って来たというではないですか！逆にミケランジェロも、文句を言いながらも法王を信頼し、愛していたに違いありません。

【（前略）ミケランジェロは法王の性格を知っており、つまりは法王を愛してもいたので、それを笑いとばし、ついに結局あらゆることが自分に利益と便宜をもたらすこと、また、法王がこの友人をつなぎとめておくためには、どんなことでもしてくれると見てとったのであった。（後略）】

（『芸術家列伝３』ジョルジョ・ヴァザーリ著、田中英道・森雅彦訳、白水社、二〇一五年、九十二〜九十三頁）

そんな二人の関係を想像すると、実に微笑ましいですね。

家族への深い愛

ミケランジェロの伝記や数々のエピソードを読むと、高慢で自己中心的、一匹狼のイメージが強いのですが、その反面、家族や知人に宛てた手紙や詩からは、人情と豊かな愛情に満ちた優しい男性像が見えてきます。ここからは、ミケランジェロの言葉や作品を軸に、家族に向けていたミケランジェロの知られざる一面を探っていきましょう。

〔できる兄とトラブルメーカーな弟たち〕

ミケランジェロにとって「家族」とはどのような存在だったのでしょうか。生涯独身だった彼には、父と四人の兄弟（兄一人、弟三人）がいました。兄は修道士になりましたが、弟三人は常に一家のトラブルメーカーでした。実はミケランジェロは生涯、父と兄弟のサポートを続けました。恩を仇で返されたとしても、愛情深く彼らに接していたようで、現存する多くの手紙は家族に宛てたものであることからも、ミケランジェロの家族への愛情が感じとれます。

その中でも特に印象的な手紙と言えば、彼が弟のジョヴァン・シモーネに宛てた手紙でしょうか。ジョヴァン・シモーネともう一人の弟、ブオナッロートは当時、フィレンツェの羊毛組合員でした。ジョヴァン・シモーネはミケランジェロが実家に入れたお金を使い込んで父に苦労を背負わせてしまったようで、特に破天荒な性格の持ち主。この使い込み発覚でミケランジェロの弟に対する怒りが絶頂に達していた様子がよく表れているのがこの手紙です。

【（前略）わたしが十二年このかたみじめな生活をしながらイタリアじゅうをさまよい、あらゆる屈辱を忍び、あらゆる艱難をなめ、あらゆる苦労でわが身をすりへらし、千の危険に自分の命をさらしてきたのはひたすら我が家を援けんがためだった。しかもやっとわたしがわずかながら立直りかけた今になって、おまえ一人は、わたしがあれほど多大な歳月をかけあれほどたくさんの苦労によって作ったものを一刻の中に顚覆破壊しようとしているのだ。キリストの聖体にかけて、そんなことを本当にさせてなるものか！　わたしはいざとなればいつでもおまえごときものは一万切れに引きちぎってくれるわ。さあ、お利巧になってくれ。他の悩みをたっぷりもっている人間をこれ以上挑発しないでくれ。（後略）】
（『ミケランジェロの手紙』ミケランジェロ著、杉浦明平訳、岩波書店、一九九五年、七十七頁）

恨みたっぷりに書いていますね。しかし、同じ手紙に次のようにも書いています。

【（前略）つまりもしおまえが一所懸命勉強しお父さんを敬い尊ぶなら、わたしもおまえを他の兄弟同様援け、近々のうちにりっぱな店を出してやろう。（後略）】
（『ミケランジェロの手紙』ミケランジェロ著、杉浦明平訳、岩波書店、一九九五年、七十六頁）

ジョヴァン・シモーネ

腹立たしいと思いながらも家族愛に満ちていたミケランジェロは、できの悪い弟も見捨てることはなかったようです。一方で当の彼の弟たち三人は兄から与えられるものを、まるで当たり前のように受け取っており、感謝の気持ちも大して持っていなかったと言われてます（＊1）。

〔お気に入りの甥っ子〕

弟ブオナッロートの息子、つまりミケランジェロから見ると「甥」になるリオナルドはミケランジェロにとって、唯一頼りになる家族でした。晩年、ミケランジェロは頻繁にリオナルドに手紙を書いています。また、リオナルドは孤独で多忙な叔父に地元の特産物、洋服を始め、チーズやワイン、果物などあらゆるものを贈っていたという心優しい青年でした。頑固な叔父ミケランジェロからは、必ずしも温かいお礼の言葉が返ってきたわけではありませんでしたが……。

【（前略）リオナルド、わたしはおまえの手紙と一緒にシャツ三着受取ったが、こんなものを送ってくれるなんてとてもあきれたよ。というのはこちらではこんなものを着て歩くのはどんな田舎者でもはずかしがらないものはいないくらいごついのだからね。（後略）】

（『ミケランジェロの手紙』ミケランジェロ著、杉浦明平訳、岩波書店、一九九五年、三一二頁）

リオナルド

きっとリオナルドもミケランジェロのやっかいな性格は重々承知していたのだと思います。ですので、このようなミケランジェロ流「お礼」の手紙を受け取っても、まるで何もなかったかのように、さまざまなグッズを定期的に贈り続けます。

さて、この面倒くさい叔父からリオナルドへの手紙の内容は、ブオナローティ家の家財や兄弟についてなど、さまざまある中で、とりわけリオナルドの妻選び（＝結婚）に関する心配事が多く綴られています。この手紙こそ、ミケランジェロの家族愛が感じとれるものだと私は思っています。

リオナルドにとっては、結婚をせっつくうるさい叔父だったに違いありませんが、可愛い甥に、結婚相手選びに関する細かなアドバイスを書き送る、愛情深い一面が読み取れます。

【（前略）結婚についてはーーこれはどうしても必要なことだーー持参金のことを考えてはいけないというよりほか、何もわたしから言うことはない。持参金などというものは、人物よりもむしろ世界の富を求めるという索引なのだからね。お前はただ気品と体に故障のないのを求めさえすればよい。他の何物よりも人間として善い人を探さないといけない。容貌が美しいかどうかということなどは、お前自身がすでにフィレンツェでの一番の美青年ではないのだから、その人が方端か病身でさえなければ、そんなことで気苦労するものはない。（後略）】

（『ミケランジェロ伝〈全2巻〉ー付ミケランジェロの詩と手紙ー（美術名著選書21）』A．コンディヴィ著、高田博厚訳、岩崎美術社、一九七八年、一八一頁）

ミケランジェロはこの手紙以外にも何度か、夫人になる人は何よりも「善人」でなくてはならないと書いています。外見の美やお金といった物質的なものではなく、その人の本質を見極めなさいという助言を与えているのです。年をとるにつれ、ミケランジェロはますます宗教熱心になり、善と罪を意識するようになっていくのが詩を通しても分かります。また、宗教画を描く画家について次のように語っていたことも記録されています。

【（前略）聖霊の啓示を受けるために、よき生活を保ち、できれば聖人であらねばなりません。（後略）】

（『彫刻家ミケランジェロ』ヴァレリオ・グァツォーニ、エンツォ・ノエ・ジラルディ著、森田義之・大宮伸介訳、一九九二年、岩崎美術社、一六二頁）

そしてついにリオナルドはカッサンドラという、叔父のミケランジェロも納得できる女性にめぐり逢い、結婚することができたのです。その後、新妻が母になることを知ったミケランジェロは、このように書いています。

【（前略）その後カッサンドラとともに幸福にいることをお前は書いてくれた。わたしたちはそれを神に感謝すべきだ。こんな幸福は実に稀れなことなのだから殊更感謝すべきです。彼女に感謝しておくれ。そしてわたしからよろしくと伝えておくれ。（後略）】

（『ミケランジェロ伝〈全2巻〉―付ミケランジェロの詩と手紙―（美術名著選書21）』A．コンディヴィ著、高田博厚訳、岩崎美術社、一九七八年、一九七頁）

ミケランジェロはリオナルドに、男の子が誕生したら、リオナルドの父＝ミケランジェロの弟であった「ブオナッロート」と名付け、女の子であれば、ミケランジェロの母の名「フランチェスカ」にすると良いとアドバイスしています。リオナルドは叔父の言葉に従い長男をブオナッロート、長女をフランチェスカと命名し、その後誕生した次男には、「ミケランジェロ」と名付けました（正式には、ミケランジェロ・ブオナローティ・イル・ジョーバネ)。

そのミケランジェロ「ジュニア」が後に、代々ブオナローティ家が暮らしてきたフィレンツェの邸宅の一部を使い、「芸術家ミケランジェロ」を記念して作品展示を始めます。その後、この「カーサ・ブオナローティ（邸宅)」も波乱万丈の歴史を辿るのですが、十九世紀には美術館になり、現在では一般開放されています。

更に、このミケランジェロ「ジュニア」はミケランジェロの「詩」を一六三二年に出版しました。ブオナローティ家の名誉のためにも、ミケランジェロがもともと男性（Ｈｅ）に宛てたものを女性（Ｓｈｅ）に変更するなど手を加えてしまいましたが、十九世紀に入りようやくオリジナルに戻され、現在に至ります(＊2)。この詩のほとんどは「愛」についてでした。

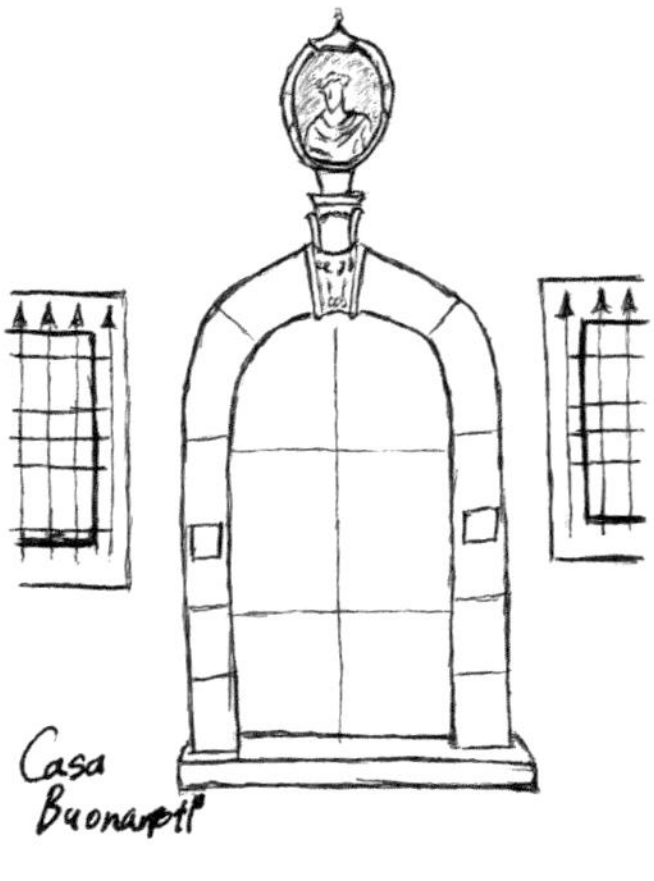

カーサ・ブオナローティ

二つの恋愛

ここまで、教皇との友愛や家族愛について書きましたが、プライマリーソースはミケランジェロの恋愛に関しても意外な素顔をつまびらかにしてくれます。生涯独身だったせいか、あるいは、若き青年へ熱きソネットやマドリガルといった詩を贈ったこともあるせいなのか、同性愛者説もよく耳にします。

ミケランジェロは仕事で多忙を極める中、ある二人との友情を特別に大切にしていました。一人は、一五三二年、ミケランジェロが五十七歳の時に出会った貴族出身の二十三歳の美青年、トンマーゾ・デ・カヴァリエーリ。

EPISODE.2

才能がありすぎたミケランジェロの、苦悶と愛

ミケランジェロがトンマーゾに宛てた手紙や詩、そしてスケッチなどを見ると、恋心では？と思うほどの情熱が伺え、ミケランジェロの彼の美貌への惚れ込みようは相当だったようです。実際のところ、ミケランジェロとトンマーゾの関係はどのようなものだったのでしょうか。

そしてもう一人は、ミケランジェロが六十一歳の時の時に出会った、四十六歳の未亡人、ヴィットリア・コロンナ。彼女へも詩やデッサンを贈っています。手紙の文面からすると、トンマーゾへの情熱とはまた違った、尊敬の愛が見てとれます。

ミケランジェロは普段制作していた彫刻や絵画作品で表現しきれないような感情を「プレゼンテーション・ドローイング」と呼ばれているデッサンや、オリジナルの詩を通して表していました。これらは誰かに注文されたものではなく、自らの意志で友人たちへの贈り物として制作されたものです。

生涯三〇〇点もの詩を書いたとされていますが、近年まであまりミケランジェロの詩がフォーカスされることはありませんでした。しかし二十世紀、ロシアの作曲家ショスタコーヴィチや十九世紀のオーストリアの作曲家フーゴ・ヴォルフが、それぞれミケランジェロの詩に曲をつけているところを見ると、音楽家から見ても優れた詩であることが分かります。詩を本格的に書き始めたのは一五二〇年代に入ってからとされており、年齢的には四十代も半ばということになります。一五二〇年代には三十作から四十作くらいの詩を書いたようですが、トンマーゾとヴィットリアに出会った一五三二年から一五四七年にかけては、二〇〇作くらいと急激に増えるのです。この二人が詩人ミケ

Dante
What should be said of him cannot be said;
By too great splendor is his name attended
To blame is....
SHOSTAKOVICH

ミケランジェロが書いたダンテの詩（英訳版）。
これにショスタコーヴィチが曲をつけた。

ランジェロの創作活動をインスパイアしたのは確かでしょう。

〔若く美しい青年　トンマーゾ〕

【（前略）しかしどうなと好きなようになるがよい、わたしも今では自分の生きるかてである食べ物を忘れるよりもさきに閣下のことを忘れることができるはずだと自覚しています。いや反対に、不幸にも肉体だけを養ってくれる閣下の生きるかてになる食べ物の方は、肉体と魂を養ってくれる閣下のお名前よりさきに忘れてしまうのです。というのは閣下の記憶がわたしに残っているかぎり、死の悲しみも恐れも感じないほどの甘美さをもって肉体と魂とをこもごもみたしてくれるからです。考えて下さい。もし眼もまたその役割を果たしているとしたら、わたし自身がどんな状況にいるか……（後略）】

（『ミケランジェロの手紙』ミケランジェロ著、杉浦明平訳、岩波書店、一九九五年、二九七～二九八頁）

この手紙は、一五三三年にミケランジェロからトンマーゾへ宛てたものです。

富も地位も人脈もあり、ヒューマニスト（注1）の教育も受け

（図3）ミケランジェロ・ブオナローティ《ティテュオス》ドローイング
Michelangelo Buonarroti, *Tityus*, 1532, Royal Collection Trust, UK

ており、紳士的なマナーを備え、更に美男子であったというトンマーゾ。自分とは全く違うタイプのこの青年に対し、ミケランジェロは創作活動を通して熱い想いをぶつけています。

（図3）の作品はトンマーゾに贈ったギリシャ神話の登場人物「ティテュオス」のデッサン（プレゼンテーション・ドローイング）です。罪を犯したティテュオスは鎖に繋がれていて身動きできず、毎日ハゲタカに肝臓をついばまれるのですが、月が昇ると肝臓は再生し、翌日またハゲタカがやって来るという永遠に続く苦しみの罰が描かれています。愛に縛られたミケランジェロ自身の心情を表しているのかもしれません。

トンマーゾに宛てた詩やデッサンの作品からは、古代ギリシャの哲学者であったプラトンの『饗宴』に書かれている愛の形が思い起こされます。なぜ「プラトン」なのか、少し説明しておきましょう。ミケランジェロは彫刻を制作する際、石には魂が宿っており、その石の塊から余分なものを取り除くことによって、その閉じ込められた魂を解放するという考えを持っていました。「解放された魂は一者へ帰還する」という思想はネオ・プラトニズム（新プラトン主義）の「一者からの流出の観念（注2）」をベースとしており、ミケランジェロもその哲学思想の影響を受けたとされています。

実際、ミケランジェロがまだ十代半ばの頃、師匠であったベルトルド・ディ・ジョヴァンニがメディチ家に出入りする彫刻家だったため、その恩恵にあずかってメディチが所有する古代彫刻に触れたり、そこに集うヒューマニストたちに接することができたのです。メディチの邸宅にはプラトン・アカデミーの中心的人物であったヒューマニストのマルシリオ・フィチーノも訪問しており、彼はプラトンの『饗宴』の注釈書である『恋の形而上学』を書いた人物でした。この中で、現代も使われる「プラトニック・ラブ」のもととなる言葉が使用されているのです。ミケランジェロはフィチーノに哲学的な刺激を受けたと考えられるでしょう。

『饗宴』は対話形式を用いた物語で、対話篇と呼ばれています。宴会の席で、プラトンの師匠でもあったソクラテスと参加者たちが「エロス（愛）」についてプレゼンし合っているのを回想している、という設定で、さま

EPISODE.2

才能がありすぎたミケランジェロの、苦悶と愛

ざまな愛の形を定義しています。ミケランジェロがこの愛の形を意識していたかどうか定かではありませんが、ミケランジェロとトンマーゾの関係は、プラトンが提唱した以下の内容に近いのではないかと思われます（＊3）。最初は美しい「身体」を愛するが、次第に美しい「心」を愛するようになり、続いては「知識」の美しさを求め、ついには美のイデア（真の姿、目に見えない真理）に到達する。美しい身体の持ち主であるトンマーゾへの、ミケランジェロの激しい想いが恋愛の入り口となり、それが後に、精神的な繋がりを持つ確かな愛に変わっていったのではないでしょうか。

一五四五年にトンマーゾは結婚しますが、ミケランジェロとの友情は続きます。最初に出会ってから三十二年後、トンマーゾはミケランジェロの看取りの場にも立ち会ったようです。

〔知的で聡明な未亡人　ヴィットリア〕

トンマーゾの後に出会った女性、ヴィットリア・コロンナ。実は彼女こそ、ミケランジェロが本当に愛した人物だったのではないかと思われます。ヴィットリアは貴族出身で、当時有名な詩人でした。ペスカラ候フェルランテ・ダヴァロスと結婚しましたが、夫に先立たれ三十五歳で未亡人になりました。ミケランジェロもヴィットリアも、共に知的で聡明でしたので、二人はお互いを高め合うような関係だったのではないでしょうか。手紙から、ヴィットリアには特別敬意を払い、紳士的に接していたことがうかがえます。ミケランジェロは、ヴィット

リアから贈り物を先に受け取ることは恐れ多いと書いています。一方ヴィットリアも、ミケランジェロの真摯な姿に応えるように、知性と情愛に溢れたいくつかの書簡を送っていました。《十字架のキリスト》の素描作品（図4）を受け取った際には、このように手紙に綴り返信しています。

【（前略）――あなたのお作は、これを見るすべての人の批判に力強い感動を与えます。（中略）そして拝見いたしましたとき、それはあらゆるわたくしの想像をも打ち超えていますので、本当に驚きました。何故かと申しますと、わたくしはあなたの御奇蹟に力づけられて、今こんなに驚くほど見事に出来上ったのを拝見できるという、この大きな希いをずっと抱いていましたから。素描は、くまなく完全で無上で、誰もこれ以上に求めえず、またこれだけにお願いいたすこともできない、と申し上げとうございます。（中略）お願いでございますから、『十字架のキリスト』を、しばらくの間でもわたくしに保存させて下さいまし。未完成でもよろしいの

（図4）ミケランジェロ・ブオナローティ
《十字架のキリスト》ドローイング
Michelangelo Buonarroti, *Crucifixion*, c. 1538-1541

でございますから。(中略)もしお仕事でございませぬなら、今日お暇な折、おいでになってわたくしとお話をして下さいませぬかしら?――あなたに献げて。ペスカラ侯爵夫人(後略)】

(『ミケランジェロ伝〈全2巻〉―付ミケランジェロの詩と手紙―〈美術名著選書21〉』A.コンディヴィ著、高田博厚訳、岩崎美術社、一九七八年、一二七~一二八頁)

お互いに詩や手紙をやり取りしていた二人(ミケランジェロからは、このように作品を贈る時もあった)。ミケランジェロは、ヴィットリアからの手紙や詩を彼女の死後も大切に保管していました。ヴィットリアもいわゆる「キャリア」があり、年齢的にもお互いを励まし合うのにちょうど良い関係だったのかもしれません。ヴィットリアは夫を亡くした後、宗教に残りの人生を捧げようと思っていたようで、修道院や尼僧院などで過ごし、ローマのサンタンナ修道院で五十五歳の生涯を終えました。彼女の死で絶望に陥ったミケランジェロはその死を悔やみ、悲愴な気持ちを言葉や詩で残しています。

【(前略)わたしをこんなに慕い嘆かせるあの伴侶《とも》が、
この世から、わたしの眼から、彼女自身から消え去ってしまったとき、
わたしたちにあのような慈みを許してくれた自然は
恥らい悔い、彼女を見た者みなは哭いていた。
けれども死よ、今日はもう他のときのように
太陽の中の太陽を、わたしたちからかき消してしまったとて誇るなよ、
愛はお前に打ち勝ったのだ。彼女をお前から奪い去って
地の上に、天の中に、聖者の伍《あいだ》に生かしているのだ。

よこしまな死が
彼女の徳の反響《ひびき》を散らし、
たましいの美しさを減らしたとおもったとて。
それはまるきり反対だ。彼女の文《ふみ》は生きていたころにも優る
生命で彼女を輝かしている。
死によってこそ、ほかならぬ天に迎えられたのだ。（後略）
（『ミケランジェロ伝〈全2巻〉―付ミケランジェロの詩と手紙―（美術名著選書21）』
A. コンディヴィ著、高田博厚訳、岩崎美術社、一九七八年、一四四〜一四五頁）

この詩の冒頭で、翻訳者の高田氏は「伴侶」と書いて「とも」とふりがなを入れていますが、この言葉には「救う人」の意も含まれているとの注釈がついています。ヴィットリアはミケランジェロにとっては、パートナー（companion）であり、親友であり、「救ってくれる、助けてくれる」、まるで聖母のような存在でもあったのかと思うと、彼らの関係性が少し理解できるように思えます。

前述の詩を読むと、どれほど彼女を深く愛していたのかが分かります。ミケランジェロがヴィットリアに宛てた数々の詩は明らかにトンマーゾへ書いたものとは違います。トンマーゾへのデッサンや詩はとても激しく官能的でもあるのに対し、ヴィットリアに捧げるものは穏やかで優しく、情け深く、宗教的道徳的な要素も含まれています。現に、トンマーゾへ贈った四つのデッサンのテーマはどれもギリシャ（ローマ）神話が題材となっていますが、ヴィットリアへ贈った三つの作品はピエタ像など全てキリスト教的テーマがメインとなっています。

ミケランジェロは恐らくヴィットリアへの愛を自分の生きる原動力にしていたのではないでしょうか。彼女へ宛てた他の詩では、自分の魂の救いをストレートに嘆願している詩もあります。ヴィットリアへの愛によって、

神への領域に近付くことを願っていたのでは、という見方の研究もあります（＊4）。生涯多忙を極めていた中でヴィットリアと育んだ愛は、ミケランジェロにとって人生で一番大切なものだったのかもしれません。ヴィットリアとのリレーションシップを保つことで自分の老いと向き合い、いずれ来る死を自覚していたように思えてなりません。

注釈

（注1）humanist。人文主義者。ルネサンス期の知識人。

（注2）三世紀頃にプロティノス（Plotinus）が唱道した哲学の一派。プラトン哲学（プラトニズム）をベースに、神秘主義、ユダヤ教、キリスト教の要素も取り入れた。あらゆる存在が同一の源から流出すると考え、この思想はルネサンスの美術にも影響を与えた。

参考文献

（＊1）『ミケランジェロ伝〈全2巻〉―付ミケランジェロの詩と手紙―（美術名著選書21）』A．コンディヴィ著、高田博厚訳、岩崎美術社、一九七八年

（＊2）Nims, John Frederick, "The Complete Poems of Michelangelo", University of Chicago Press, 1998

（＊3）『饗宴』プラトン著、中澤務訳、光文社文庫、二〇一三年

（＊4）Ryan, Christopher, "Poetry of Michelangelo, an Introduction", Fairleigh Dickinson University Press, 1998.

通称“ふんどしの画家”（ラファエロ p.120 参照）によるミケランジェロの肖像画。

ダニエレ・ダ・ヴォルテッラ帰属
《ミケランジェロ・ブオナローティ》油彩
Attributed to Daniele da Volterra, *Michelangelo Buonarroti*, probably c. 1545, The Metropolitan Museum of Art, New York

column 02

西洋思想にみる「カップル《一対》」の起源

my other half

ミケランジェロが築いた愛の形は、いにしえより受け継がれてきた、人間関係における理想的な姿に私には映ります。エピソード2で触れたミケランジェロのさまざまな愛の形——教皇との友愛、限りなく「無償の愛」に近い家族への愛、そしてトンマーゾやヴィットリアとの友愛＋恋愛——は、どの愛も相手との確固たる「信頼関係」が成立した上での愛です。手紙や詩からは、ミケランジェロがその時々で、どれだけ真摯に相手と向き合っていたかということ、またその関係性が作品をも左右していることがうかがえました。

ミケランジェロが生きた時代から今私たちが生きる現代まで、「人」対「人」はどのように関わりあってきたのでしょうか。本文で紹介したプラトンの『饗宴』に書かれている〈人間球体説〉に一つのヒントがあります。

▼古代ギリシャ哲学における「もう半分の自分」

本文で紹介したプラトンの『饗宴』から由来する言葉に「my other half」というフレーズがあり、英語圏では現在もよく使います。日本語だと自分の「伴侶」といったところでしょうか。「もう半分の自分」を意味し、夫婦やカップルの場合、それぞれのパートナーである、妻、夫、彼氏、彼女を指します。「パートナーは今どこにいるの？」と聞く時、“Where is my other half?”と冗談交じりに言うこともあります。

さて、プラトンの書『饗宴』では、「my other half」に関してギリシャ神話の神を用いて次のようなストーリーが展開されます。

「遥か昔、球体の形をしていた人間には三つの性—男性、女性、そして、両方の性をそなえる第三の性が存在していた。それぞれの球体には今でいう「人間」二人が一つに合体していた。男+男、女+女、男+女という組み合わせ。それがある時、あまりにも彼らが勢力を持つようになり、脅威に感じた神が焦り、人間たちの力を弱めるために、彼らを半分にした。半分にされてしまった人間は自分の半身、つまり、もともと両性だった者は己と反対の性の分身を、もともと男性だった、あるいは女性だった人間はそれぞれと同じ性である分身を探し求め続けるという宿命を負うことになった」。

このストーリーは、〝自分に欠けているものを持っている人を求める〟という思想にも繋がりますね。そう考えると、ミケランジェロは五十代の時にはトンマーゾに、そし六十代ではヴィットリアに、自分の欠ける「何か」を求めていたのかもしれません。

▼ユダヤ教神秘思想における「もう半分の自分」

実は、宗教の書にも少し似た話がありますので、ご紹介します。ユダヤ教のトーラー(=モーセ五書)(注1)の注解書である『ゾーハル』(注2)にも「伴侶」(この場合の英語はソウルメイト《soul mate》)の起源についての解説がされています。

『ゾーハル』は各国語に翻訳されていますが、大事なのはオリジナルのアラム語のテキストを「見る」ことですので、必ず対訳形式+解説付きの本となっています。アラム語の方を目でスキャンすることによって文字からパワーがもらえるというのがそもそもの本の役目とされているからです。

ストーリーは、天にある一つの魂がこの物質界に舞い降りてくる際、その魂は男性と女性に分割されてしまうというもの。半分になったそれぞれの魂は、地上で精神的な道(人生)を歩むと、再会する可能性が出てきます。天使がそれぞれの魂を地上に案内する役目を果たしますが、タイミングを図ってその二つを再会させ、創造主が再び彼らを一つにします。

タイミングとは、別々にされた男女のお互いの精神レベルが同等に達した時点を指し、例えお互いが地球上の反対側に住んでいたとしても、天があらゆる事象を起こして、彼らを再会に導いてくれるというもの。そして再会した彼らは、ようやく身体も魂も一つになれます。これで完結し、地上に降り立つ前の魂の状態になり、そのカップルが一つの世界（＝world）を創るとされています。

その地上での最小単位である「カップル＝世界」が広い意味での「世界」を創っているわけですから、カップルの精神レベルが高ければ高いほど、「世界」全体も平和で愛に満ちるものになる、というのがこのストーリーの根底に流れている思想です。

▼あなたの「my other half」

このように古代ギリシャ哲学やユダヤ神秘思想から見えてくることは、西洋世界では夫婦（＝カップルやパートナー同士）は一つの世界を創り上げる大事な最小単位であるということです。生活のあらゆる場面において、カップルで行動するルーツはこのような思想からくるものなのですね。例えば、夫婦の片方が出張する場合、もう片方のパートナーがその出張先に帯同するケースというのは今でもよくありますし、結婚式やディナーに招待するのも、必ずカップル単位となります。英語でcouple（＝カップル）という言葉は「一対」という意味で、「二」であり、「三」や「四」ではないのです。こういった考え方はまさに、プラトンから始まり、ミケランジェロの時代、そして現代にも根付いているのではないでしょうか。

あなたは誰を支え、誰に支えられ、そして何を生み出すのか……？　プラトンやミケランジェロのように、老若男女問わずの「my other half」はこの世に必ず存在しているはずです。

注釈
（注１）キリスト教の旧約聖書に出てくる最初の五つの書。神より与えられたイスラエルの律法が述べられている。
（注２）zohar。中世ユダヤ教神秘思想カバラの根本経典。

EPISODE

3

登場人物

18世紀のイギリスを代表
する2人のアーティスト

主人公
ホガース
版画家

レイノルズ
画家、アカデミシャン

ウィリアム・ホガース

生没年 1697-1764年　**出身地** イギリス

代表作 《ビール通り》《ジン横丁》《娼婦一代記》《放蕩息子一代記》
《エビ売りの少女》 書籍 『美の解析』

EPISODE 3

曲線の魅力

雑草魂のホガース

「線」に込めた画家の魂

十八世紀イギリスの版画家、ウィリアム・ホガース（一六九七―一七六四）。日本での知名度はそれほど高くはありませんが、本国イギリスにおいては十八世紀を代表するアーティストです。ホガースは、当時のイギリスを風刺した道徳的風俗画の版画で成功を収めた後、それを足掛かりに、絵画作品や美術論的な文章の執筆など、創作活動の幅を広げていきました。また慈善事業者の一面も持っていました。

幼少期、決して恵まれているとは言えない環境で育ったホガースは、社会――特にアート界――に出てからも、アンダードッグ的（＝負け犬、弱者）な存在とみなされていました。しかし強い信念のもと孤高に、そして勇敢に権威に立ち向かったホガースが生み出した数々の作品や言葉には、見る者・読む者の心に深く刺さるメッセージがちりばめられています。さまざまな逆境逆風にめげることなく、彼が当時の社会に、そして後世の私たちに伝えたかったこと、それは何だったのでしょうか。

〔道徳的風俗画〕

イギリスが産業革命期に突入する少し前の一六九七年、ロンドンの下町の中産階級の家庭に生まれたホガー

講話

美術論

EPISODE.3

雑草魂のホガース

ス。父リチャードは、テキストや辞書などを執筆するラテン語の教師でした。同時にリチャードは、サイドビジネスとして当時流行っていた「コーヒーハウス」も営んでいました。このコーヒーハウス、客は「ラテン語」を話すことを勧められるという、少々インテリ的な雰囲気の一風変わったお店だったようです。しかしリチャードのこのラテン語へのこだわりが裏目に出たのか、店は程なくして倒産。リチャードは債務不履行で投獄されてしまいます。ホガースは、両親と二人の妹アンとメアリーと共に、四年に渡り債務者向けの宿舎での生活を余儀なくされます。ホガース、わずか十一歳の時でした。

苦難の生活から脱したのは六年後。しかし、父リチャードは大掛かりなラテン語の辞書を制作中に、それを完成させることなく亡くなってしまいます。

失敗の連続であった父の背中を見ながら育ち、正規の教育は受けられずにいたホガース。その不幸をばねにして、彼はその後、自力でキャリアを切り開いていきます。美的センスに恵まれていたホガースは、版画職人として生計を立てることを決め、地元の親方の元で修行をした後に独立を果たしました。

版画家としてスタートしたホガースは、ブラックなウィットやユーモアを交えた多数の作品を精力的に制作していきます。ホガースは、卓越したテクニックで庶民生活を作品上に詳細に再現し、アイロニカル《冗談めいた皮肉》な視点から捉えた

Become a copperplate engraver!!
MEMENTO MORI
ERRARE HUMANUM EST
Thesaurus Linguae Latinae
Good Bye, Dad!

少年ホガースとラテン語の辞書を制作する父リチャード

社会問題の風刺を得意としていました。順風満帆とは言えない人生を歩んできたホガースならではの、暗く悲観的で陰気な絶望感に満ちた描写と、気が滅入るような主題を扱った作品の数々。そこには、彼の冷酷なまでの人間観が投影されています。この作風が、ホガースのオリジナリティとして確立されていきました。自分の辛い境遇さえも作品に昇華させ、これを自らの強みと考えた彼に尊敬の念を禁じえません。

中でも大ヒットしたのが、「道徳的風俗画(modern moral subjects)」と呼ばれる一連の版画作品シリーズ。この「道徳的風俗画」が庶民の間で爆発的ヒットとなった理由の一つは､彼の作品が「現実」を捉えながらも「フィクション」であり、特定の事件や事象を捉えているようで実は「普遍的」な内容だったりする、その絶妙なバランスの上にあったからだと思います。「俗的な人ほど、身近なモノやヒト――つまり、今の自分たちが反映されている「現実」が絵の中で再現されている様を楽しいと感じるものである」と看破していたホガース。「現実」というモチーフをふんだんに盛り込み、大衆の心を掴んだ上で「普遍的」な主題へといざなう。ホガースの目論見が見事にはまった、必然のヒットだったと言えるでしょう。

大ヒットの理由はもう一つ。作品の購入のハードルが下がったことにあります。版画は絵画のような一点ものではなく大量生産できるという点から、絵画と比べ安価となります。中産階級の人々にとっては購入が容易になり、作家の側から言えば一気に複数販売が可能となったことで、安定した収入増に直結しました。ホガースが作品を版画として売り出したことは、買う側と売る側の双方にメリットをもたらしたのです。

《ジン横丁》と《ビール通り》

《ジン横丁》と《ビール通り》の二作品は、ホガースの道徳的観念が対比により鮮やかに読み取れる作品です。まずは《ジン横丁》(図1)を見てみましょう。カオスな状態が画面いっぱいに繰り広げられています。中央の階段に座る泥酔した女性は、抱いていた子供をその腕から落としそうになっています。彼女の足にある黒い斑点はおそらく梅毒からの炎症……彼女は売春婦であろうと想像できます。階段の下には、あばら骨が浮き出るほどやせ細り、意識が朦朧とした様子で座りこむ男性。左奥には、やかんなどのキッチン用品やのこぎりを、質屋に渡そうとしている夫婦の姿。この夫婦は手にしたお金でさらに「ジン」を買うつもりなのでしょうか。

絵の右手には、なにやら乱闘のシーンが。右上のビルには、首つり自殺を図った男性が見えます。仕事に失敗し、破産したのでしょうか。その更に奥のビルはレンガが崩れ落ちていて、崩壊寸前。中央奥には、死体をお棺に入れている場面も！ 街は汚れ、荒廃し、作品全体にその「悲惨」な光景が広がっています。

一方の《ビール通り》(図2)には、お酒の席を健康的に節度をもって楽しむ人々の姿が

GIN LANE.
S. GRIPE PAWN BROKER
GIN ROYAL
Gin cursed Fiend, with Fury fraught,
Makes human Race a Prey;
It enters by a deadly Draught,
And steals our Life away.
Virtue and Truth, driv'n to Despair,
Its Rage compells to fly,
But cherishes, with hellish Care,
Theft, Murder, Perjury.
Damn'd Cup! that on the Vitals preys,
That liquid Fire contains
Which Madness to the Heart conveys,
And rolls it thro' the Veins.

(図1) ウィリアム・ホガース《ジン横丁》版画
William Hogarth, *Gin Lane*, 1751 © Trustees of the British Museum

描かれています。国民的飲料であるビールがもたらす理想郷とでも言えば良いのでしょうか。皆、ビールを片手に大らかに、健全に振る舞っているのが分かります。

　画面の手前左に位置する、新聞を開くふくよかな男性たちの姿からは、彼らの余裕ある生活ぶりが感じられます。隣のカップルも何やら意味深です。男性が女性に鍵を渡しています。「一緒に住もうか」という愛のサインでしょうか？ そして、その右隣の魚売りの女性たちもビール片手に、活きの良い魚を籠一杯に盛っており、商売繁盛といったところ。右手奥のビルは古く、崩れかかっている状態にありますが、それも致し方ありません。ドアの上にある「pawnbroker（質屋）」の文字にご注目。街が繁栄している時に、質屋は商売にならないのです。それでも、主がドアからしっかりとビールを受け取っているあたり、生活苦は感じられません。背景にあるビルを見渡すと、足場が組まれているのが分かります。建物を新しく改装しているようです。そして、左端のパレットを持つ画家をご覧ください。かすかに笑みを浮かべ自作のポスターを眺めている姿から

（図2）ウィリアム・ホガース《ビール通り》版画
William Hogarth, *Beer Street*, 1751 © Trustees of the British Museum

は、その出来栄えに満足している様子が見てとれます。ただ気になるのは、この画家の、穴だらけでほつれが目立つ服装。もしかするとホガースは、自身のそれまでの画家としての苦労、あるいは、アーティストとして自活して生きていく大変さを、この画家の姿によって表現したかったのかもしれません。

ホガースは、ジンは「悪」の飲み物、ビールは「善」の飲み物の象徴として、この二作品を制作したようです。裏と表、暗と明、黒と白、堕落と祝福――こう表現をしても良いほど、強い対比で描かれている二枚組のこれらの作品ですが、制作のきっかけは十八世紀前半のジン・ブームにあります。

イギリス政府は一六八九年、法令によりフランスからのワインやブランディーの輸入を禁止し、国産飲料の消費を奨励します。その結果、安いジンが低所得者層の間で爆発的に広まっていきました。ジンを大量生産するために粗悪な有害成分が使われる場合もありましたが、品質管理の法令がなかったため、そのまま大量消費されていました。更にビールの値段の高騰がジンの消費を後押し。税がかからず安く手に入る低品質なジンを浴びるように飲み、前後不覚に陥るほど酩酊する人々が貧民街に溢れ、社会問題化するまでになりました。

この様子に心を痛めたホガースは、一七五一年のジン規制法令をサポートするべく、ジンに反対するキャンペーンの一環として先の二枚の版画を制作し、アルコール中毒に陥ることへの警告をしたのです。ホガースのこれらの道徳的作品が、社会にどの程度インパクトを与えたのかは定かではありません。でももしかした

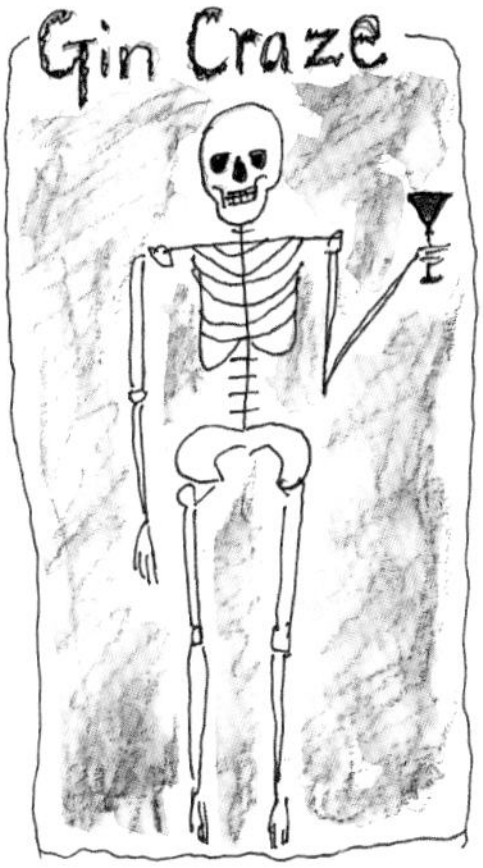

ら、元教師の父の影響から、教育学的な見地でこのような作品を通して社会を変えようと、ホガースは本気で試みていたのかもしれません。

〔成功への道——道徳版画シリーズ〕

ホガースの成功を確かなものにしたのは、長期プロジェクトとなったシリーズもの「娼婦一代記（Harlot's Progress)」と「放蕩息子一代記（A Rake's Progress)」でしょう。このシリーズ作品の制作に取り掛かる際、資金集めから作品売買までの過程において、ホガースは当時としては画期的な手法を用いています。

一　準備資金を確保するために、新聞などにプロジェクトの提案を広告として掲載、賛同者を募る
二　賛同者は代金の一部を先払いし、実物が仕上り、作品を手にした時点で残金を支払う

このマネーフローシステムは、若干の違いはありますが、サブスクリプション（注1）とクラウド・ファンディング（注2）を合体させたようなシステムと考えると分かりやすいかもしれません。このシステムは、作家のリスクを緩和するという利点もありました（*1）。

「娼婦」シリーズは六枚プレートもので、「放蕩息子」は八枚もの。並べてみると六コマ、八コマ漫画のようで、テーマこそ気が滅入るものではありますが、ドラマチックで見出したら止められない要素のある連作です。細かい情報が描き込まれている作品は「見る」というよりは「読む」と言った方が良いのかもしれません。小説をそのまま絵にしている感覚といったところでしょうか。歴史や神話や宗教ではなく、「今」を作品のテーマとし、身近な生活の事象を作品に顕現化していったことが、大衆の心を掴んだのです。

「娼婦一代記」のテーマは「売春」です。田舎から大都会に出てきた少女が、人々の堕落と欲望によって娼婦にされ、最終的には性病にかかって亡くなってしまうというストーリーが、この六枚のプレートで展開されています。主人公がいかにして身を滅ぼしていったのか、そのプロセスをホガースは、ブラックユーモアたっぷりに

描きました。

また「放蕩息子一代記」では、親の遺産を手にした青年が都会で散財し、借金を抱え、債務者監獄に入れられ、最後には精神を病み精神病院に入る、という悲惨な結末のストーリーを描いています。

もちろん漫画のようにセリフがあるわけではありません。画面と画面の間は鑑賞者がストーリーを想像するしかないのです。しかし、その「見て、読んで、想像して」の三セットは、鑑賞者というよりは「読者」の購買意欲をかきたて、制作から販売まで、当時としては画期的なシステムの導入が可能となったのです。

この一代記シリーズのヒットで、ホガースは版画の世界で成功を収めました。

〔レイノルズVSホガース❶……インテリ理論派か庶民的感覚派か〕

ホガースが一代記を制作していた十八世紀前半において、イギリスは巨匠と呼ぶべきイギリス人の画家（=芸術家）、特に歴史画家を輩出していません。活躍している画家の多くは、外国

（図3）ヴィクトリア＆アルバート美術館ファサード
Photo Courtesy of Lookup London: https://lookup.london/

正面から見て右が版画のツールを持つホガース、左が画家のパレットを手にしたレイノルズ。しかし、彫られた名前は逆になっている。

人が占めていました。それが、十八世紀後半になり、特に一七六八年にロイヤル・アカデミーが設立され、初代会長に、ホガースより二まわりも若いジョシュア・レイノルズが任命された辺りから、イギリスの美術界に変化の兆しが訪れます。十八世紀を代表するイギリスのもう一人のアーティストと言えば、このジョシュア・レイノルズ（一七二三―一七九二）です。ホガースとレイノルズ、あまりにも対照的なこの二人は、年齢を超えたライバルでした。

この二人の関係を上手く表しているのが、ロンドンにあるヴィクトリア&アルバート美術館のファサードにある二人の彫像（図3）です。実はこの彫像、誤った名前がお互いの姿に付けられています。版画のツールを持つホガースのところには「Reynolds（レイノルズ）」と彫られており、画家のパレットを手にしたレイノルズのところには「Hogarth（ホガース）」とあります。一九〇五年に三十二名のアーティストや工芸家、建築家や彫刻家の彫像が設置されたのですが、どの時点で美術館がその誤りに気が付いたのかは不明です。近年になってようやく、という声もあるくらいです。そしてその状態のまま直されることなく、現在に至っています。

ホガースとレイノルズの像は隣同士に、しかもお互いそっぽを向いて立っています。偶然にも当時の二人の関係性を物語っているよう。気持ち、レイノルズの方が凛としたインテリに、ホガースはあか抜けない中年男性風に見えます。

レイノルズは、ホガースの死後にアカデミーの会長になり、年に一回行われる会員向けのスピーチ（講話）で、ライバルのことを称えながらも少し見下しているかのような言葉を並べています。ホガースの死後六年経った一七七〇年のことでした。

【（前略）そういった高邁な主張をしているようには思えない絵画の様々な部門は、数多くあります。どれも藝術のこの普遍的な支配的観念と競うものではありませんが、それなりの長所がないわけではありません。

特に低俗な性格に専念し、（ホガースの作品に見られますように）俗物に表れるような情念の様々な微妙な陰影を正確に表現している画家は、大いに賞賛に値します。しかし、彼らの天才は低級な狭い主題に向けられてきましたので、我々の与える賞賛はその対象と同様に制限されねばなりません。（後略）】
（『18世紀イギリスのアカデミズム藝術思想：ジョシュア・レノルズ卿の『講話集』』ジョシュア・レノルズ著、相澤照明訳、知泉書館、二〇一七年、四十四頁）

「低俗な性格」、「低級な狭い主題」……このような辛辣な言葉を選んだところに、レイノルズのホガースに対する気持ちが表れていますね。

〔レイノルズVSホガース❷……模倣か現実か〕

実はホガースが活躍した十八世紀前半のイギリスは、フランスに比べると芸術の分野では遅れをとっていました。正式なアカデミーやサロンもなければ、過去にルネサンスとバロックを生んだ芸術の都であるイタリア、特にローマを中心に活躍した「オールド・マスター」（注3）を手本とする画家が少なかったのです。

それが十八世紀も半ばになると、レイノルズのような若手エリートがイタリアの古典を意識し始め、実際にローマに渡り、その学びを深めるアーティストたちが増えてきました。十八世

紀と言えば、ヨーロッパ中から「グランド・ツアー」(注4)と称して、イタリアに人々がこぞって訪れた時代です。教養のために子弟を送り出す貴族や観光客が、特にイギリスから多く訪れました。また、修行を積むために長期滞在したレイノルズのような画家もいました(レイノルズの場合は二年間滞在)。

イタリア帰りの彼らは、古典を模倣することが何よりも高尚で大事だと考えていたので、レイノルズはホガースとは対極的なコンセプトだったのです。古典に重きをおく考えはフランスの芸術界においても同じ。フランスには十七世紀から既に王立のアカデミーが存在しており、イギリスにおいてもそれを手本にする動きが出始めたのがホガースとレイノルズの時代でした。

理想美を追う教育方針のレイノルズに対し、あくまでも「自然」からの学びを信条とするホガース。ホガースは前者からなるフランス式のアカデミー設立には懸念を抱いており、画家にとって一番大事なことは、古代彫刻や絵画などの模倣ではなく、実際に目の前にある自然や人物を観察することだと考えていました。頭でっかちな美術通たちの気どった美術表現や、「自然」に親しみを感じようとしない彼らのスタンスがホガースには耐えられなかったようです。

そんなホガースは、現代社会の風刺や道徳的メッセージを込めた風俗画を描くことを通して、常に現実を見つめていましたが、古典主義者たちはそれに「低俗なジャンル」というレッテルを貼ります。「高尚なジャンル」とされていた歴史画(宗教画や神話画を含む)を好み、ルネサンスのラファエロを模範としながら学び続けていたインテリ層にとって、ホガースが得意とする風俗画はジャンルのヒエラルキーの一番下に属するとの位置付けだったからです。

その扱いに奮起したのか、ホガースは、一七五二年に美術論『美の解析(Analysis of Beauty)』を書き上げ、翌年に出版します。風刺画の版画家として知られるホガースに、美に関する本が書けるのか。多くの理論派エリートたちはそう思ったに違いありません。エリートに挑むホガースの、あえての難関チャレンジ……。それはどのようなものだったのでしょうか。

〔雑草魂、渾身の美術論「優美の線」〕

十八世紀のイギリスは、芸術ではフランスに後れをとっていたものの、芸術論的な本はたくさん出ていました。p.114で紹介しているレイノルズの『講話集』もスピーチだったとは言え、立派な芸術論の本として出版されています。その他にも一つ代表的なものをあげるとすると、エドマンド・バークの『崇高と美の観念の起源論』があります。バークのこの本は、ホガースが『美の解析（Analysis of Beauty）』を発表した年の四年後に出版されています。

この辺りから、絵画その他を語る時に、美と「崇高（sublime）」という思想がよく登場するようになります。「崇高」と言われてもちょっと分かり辛いですね。美しさ、恐怖、威厳が混ざったような、近寄りがたい雰囲気を持つこの言葉。かの『法の精神』の著者モンテスキューは、「崇高」という言葉を考察しているように思える記述を残しています。雑な人ほど、美しい／醜い、善／悪、好き／嫌い、白／黒と感じ方が両極端になりやすく、その間の微妙な感覚を感じとるのが難しい、と。つまり、インテリのみが「崇高」というような複雑な概念を感じとることができる、という考えをモンテスキューは根底に持っていたように思います。

さて、ホガースの本はどうだったのでしょう。彼が目指したのは、そのようなインテリが好む部類に入る本では決してなかったことは確かです。

ホガースが『美の解析（Analysis of Beauty）』を出版したのは一七五三年ですが、その前からテーマに関する構想はあったようです。彼の作品の中で最も有名な一七四五年制作の自画像がそれを物語っています。既にその絵の中に、本のテーマとなる「The Line of Beauty and Grace（優美の線）」というフレーズがパレットの上に刻

まれるようにして描かれているのです（p.069のイラストのように）。ホガースは、自分は文章も書けるシリアスなアーティストなのだと世間に知らしめたかった一方で、根本には一般の美術ファン、できれば普通の人にも読んでもらい、美のエッセンスとは何かを考えてもらいたい、といった理念を持って本の執筆に臨みました。人々を引き付けるものとは一体何か、そのヒントを版画の絵と共に紹介し、何を基準にその美を感じ取れば良いのか、それを読者に提案しながら筆を進めています。作品の見方に繋がるだけではなく、普段の生活においても、人やモノの美しさや外見や所作など、さまざまな形態に適用できるようにと意識して書かれた文章は、ホガースの狙い通り一般の読者の共感を呼びました（注5）。

　また、本の巻末に二枚の版画（図4）が付いており、文中では、しばしばその版画中のプレート番号が注釈として記されてい

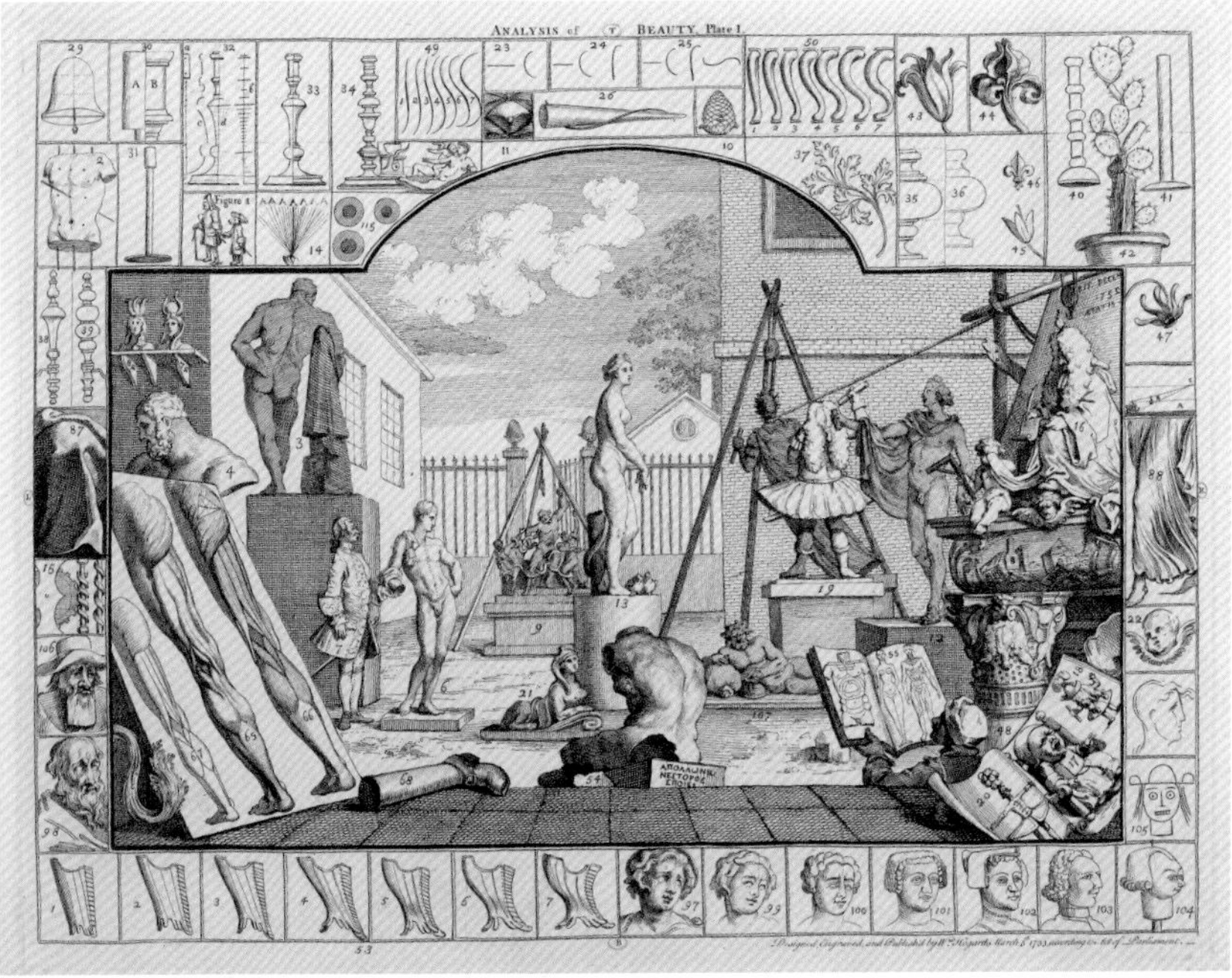

（図4）ウィリアム・ホガース『美の解析』より版画《プレート1》
William Hogarth, *Analysis of Beauty*, Plate I, 1753 © Trustees of the British Museum

ますので、読者は本文と巻末の図を行ったり来たりしながら読むことになります。このように、実際に読者を巻き込む「アクティブ」ラーニング的な美術書は、当時大変に斬新でユニークな本であることには違いありませんでした。

この『美の解析』では、「線」や「形」や「色」について考察が重ねられています。その中でもホガースが一番伝えたかったことは「線」の力でした。版画が出発点であったホガースは、自然界にあるものを効果的に「線」に落とし込む方法について、普段から考えを巡らせていました。この経験が本へのヒントとなったのかもしれません。この本で、ホガースはとことん「線」を探求し、その多様なスタイルについて、ざっくりと五つに分けて分析していきます。

【（前略）直線は長さの変化があるだけなので、装飾性からは最も遠い。曲線の方は、長さのみならず角度にも変化があるため、装飾性が生じてくる。直線と曲線の組合せは、合成された線であり、曲線だけのときよりも多様なので、より装飾性が高いと言える。波打つ線――あるいは美の線――は、二つの曲線が対比されたものであり、さらに変化に富むために一層装飾性が高まり、心地よい感じを与えるので、ペンや鉛筆で書く時には手が生き生きと動くのである。そして蛇のような線は、同時に様々な形で波打ち、またくねくねとして、そのような表現が許されるなら、継続する多様性に沿って目を楽しげに導いていくのだ。無数の変化をもってねじれていくことで、（一本の線にもかかわらず）様々な内容を包含するとも言えよう。そのため、一続きの線だけでその多様性を紙の上に表現することはできず、想像力や画像の助けが必要となるのだ。優雅で変化に富む三角錐の周囲をきちんと巻く繊細な針金のように（中略）、均衡のとれた、蛇行する線を、これからは正確な蛇状の線――あるいは優美の線――と呼ぶことにしよう。（後略）】

（『美の解析―変遷する「趣味」の理念を定義する試論』ウィリアム・ホガース著、宮崎直子訳、中央公論美術出版、二〇〇七年、五十六頁）

EPISODE.3

雑草魂のホガース

美とは本来、目を楽しませるものであり、目で簡単には追えない「複雑性」の中にこそ存在する、と考えていたホガース。さまざまなヴァリエーションの「線」がある中で、人々が作品や現実を通し、心地良さを体験する瞬間はどういう「線」と対峙した時なのか……ホガースは美に一番影響を与えるのは、あの自画像にも描かれている、「The Line of Beauty and Grace（優美の線）」であると結論付けています。

確かに、単純で規則性のある「直線」から不快感を受けるわけではありませんが、どこか面白みに欠ける印象を受けるのは否めません。しかしこの無難な直線に曲線を組み合わせると、雰囲気が柔らかくなり、心地良さが出てきます。自然界には全て直線でできたものは存在せず、直線というのはどこか人工的な感覚があるからです。波線や蛇状線などオーガニック形状という不規則性を持つ線は自然界にあるもので、そもそも人間も曲線で成り立っています。

ホガースは「serpentine line《蛇状の》＝S字型の線」が一番優美だと言っています。単なる「曲線」とは違う、文字通りひとひねりある「ヘビ」のような線です。決められた終わりがあるような感覚のある直線に対し、蛇状線は永遠に続いていくような感覚があり、それを目で追う愉しみももたらすため、人々はそれに魅了されるのだとホガースは唱えているのです。よく「見て」感じることの大切さをホガースは私たちに教えてくれているようです。

ホガースの愛犬トランプ

版画と同じく当時のサブスクリプション方式で出版された、この『美の解析』は、ホガースの取り巻きや一般庶民には好評であったとされています。しかし理論派インテリ層や美術通には相手にされず、ましてやその後のアーティストの卵たちへのテキストとして推奨されるような扱いを受けるには至りませんでした。しかしそれにもめげることなく、ホガースは精力的に活動を続けていきます。何という雑草魂でしょう！

〔「アンダードッグ」の最期〕

『美の解析』から八年経った一七六一年、自身も関わっていた「芸術家協会（Society of Artists）」の展覧会に出品するチャンスがホガースに巡ってきます。前年に別団体が無料で展覧会を開催し、成功したこともあってか、芸術家協会は入場料を強気に設定、オフィシャルなカタログも作りました。その表紙の装飾もホガースが担当しました。

出品作品には、それまでのホガースのキャリアの全て——風刺ものから政治的な内容のものまで——を網羅し、まるでミニ回顧展かのように、さまざまなジャンルのものを選びました。しかし、そのラインナップに加えて、それまでとは異色の「歴史画」を出品したことが、ホガースにとっての悲劇の始まりとなりました。

その「歴史画」とは、ボカッチョ（注6）の『デカメロン』（注7）をベースに描いたとされる《シヒスムンダ》（注8）というもので、批評家や美術通の評価は散々。ホガースは激しいバッシングにさらされたのです。おそらくホガース自身の目的は、世俗的な絵画も「高尚」な絵画も両方卒なくこなせる芸術家であるとのアピールにあったと思われます。しかし世間の目には、道徳的風俗画で一世を風靡している画家とボカッチョのミスマッチが不快に映り、ホガースは批判を浴びたようです。

若かりし頃にホガースは、Ｓｉｒ（卿）の称号のついた歴史画家のジェームズ・ソーンヒルの美術学校に通い、後にソーンヒルの娘と駆け落ちし、結婚しています（ソーンヒルとは後に和解）。この結婚により、ホガースの

EPISODE.3

雑草魂のホガース

表面的ステイタスは少し上がったようにも見えました。しかし、恐るべしイギリスの階級社会。ホガースの社会的ルーツと父親が債務監獄に入れられていたことや、普段書いている悲観的で性悪説に基づくような風俗画のイメージがあまりにも強く、「歴史画」を描く芸術家としては認められなかったのです。

その悔しさと無念、その末に辿り着いたあきらめの境地は、版画作品としては最後となった《ベイソス(Bathos)》という作品(図5)に集約されています。ベイソスとは崇高から低俗なものへと、意図せず急降下す

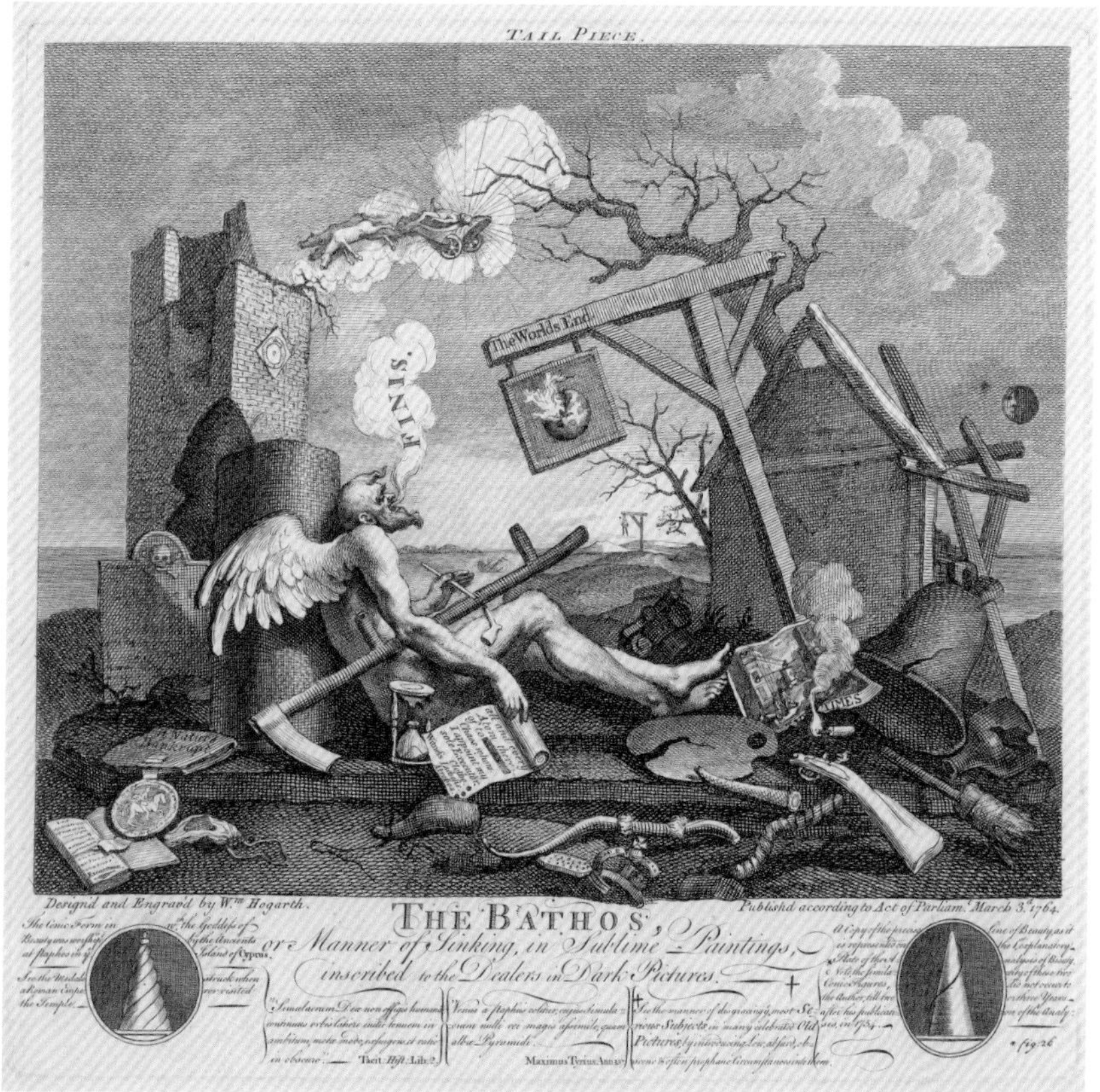

(図5) ウィリアム・ホガース、最後のページ《ベイソス》版画
William Hogarth, Tail Piece, *The Bathos*, 1764 © Trustees of the British Museum

るという意味があります。十八世紀のイギリスの詩人、アレキサンダー・ホープがエッセイで当時の「崇高」な詩人たちを批判した際にベイソスという言葉を用いたことで、ホガースも自分の作品を通してインテリで「崇高」な美術家たちを皮肉ったのだとされています。とは言え絵の内容を見ると、ホガースの最期を物語っているようで、何とも悲哀に満ちたものとなっています。「Finis（終わり）」と発している死にかけた「時の神」、「The World End（終末）」と書かれたポスト、ヒビの入ったパレット、壊れた砂時計、空には元気のないアポロと馬たち、地平線の彼方には首をつった人物……。

この作品を制作した半年後にホガースは亡くなっています。このように、決してホガースの最期は明るいものではありませんでした。しかし、冷静な視点とアイディア、そして研ぎ澄まされた技術で、美術の裾野を大衆へと広げることに貢献した十八世紀のイギリス人アーティストは、他には存在しません。また、作品や言葉を通して制作に向かう姿勢、ぶれずに権威におもねることなく自ら信じた道を全うしたホガースの人生は、今を生きる私たちの背中を力強く押してくれるように感じます。

（図6）ウィリアム・ホガース
《エビ売りの少女》油彩
William Hogarth, *The Shrimp Girl*, about 1740-1745

アーティスト人生の集大成として、ホガースは歴史画の《シヒスムンダ》を描きました。しかし、本当にホガースが心から描きたかった思いが溢れている絵は、一七四五年に描いたとされる《エビ売りの少女（The Shrimp Girl）》（図6）だったのではないか、と考えてしまいます。未完成の作品ですが、この軽やかな色遣いや線遣いはまるで十九世紀フランスの印象派の画家たちを思わせます。古典、権威、競争、名声——何もかもから解放されたような、どこかホッとできるようなこの作品。そんな作風に、ホガースが本来持つ美意識を垣間見ることができる気がします。

注釈

（注1）ビジネスモデル。消費者が製品やサービスを一定期間利用できる「権利」に対して定額のお金を支払う。

（注2）ビジネスモデル。不特定多数の人がインターネットなどを経由して、人や組織に財源の提供などを行うこと。「群衆（クラウド）」と「資金調達（ファンディング）」を組み合わせた造語。

（注3）中世後期から十八世紀に活動した、ヨーロッパの大画家・古典派の巨匠や、その作品。

（注4）十七世紀末から十八世紀にかけて、イギリスの裕福な家庭の子弟は、特に古典的教養を得るためにヨーロッパ大陸へ旅行をしていた。

（注5）現在、フラワーアレンジメントの世界では、S字型のアレンジのことを「ホガース」と呼ぶ。

（注6）イタリアの小説家・人文学者。

（注7）ボカッチョの代表作。ペストが流行したフィレンツェで避難した男女十人が一夜に一話話すという物語文学。

（注8）スペインの作家セルバンテスの小説『ベルシーレスとシヒスムンダの苦難』の登場人物。

参考文献

Bindman, David, “Hogarth”, Thames and Hudson, London, 1981

（＊1）Hallet, Mark, “Hogarth”, Phaidon, 2000, p.332

column 03

ホガースに学ぶ「アートの見方」

私が主宰している「美術英語の基礎講座」で、基本中の基本と位置付けている内容があります。それは、作品を構成するヴィジュアル的要素であるエレメンツ――「線」と「形」と「色」――についての一連のレクチャーで、特に重きをおいているエレメントが、ホガースもその重要度を強調する「線」です。

「線」は平面、立体、構図など、全てに関わってくるもの。三つのエレメンツの中で最も重要です。「線」を考えることは、美術作品を作る側にも、観る側にも参考になります。直接美術に関わりのない分野においても、さまざまなものの見方が違ってくるでしょう。

▼基本の線4タイプ

Ⓐ水平線（Horizontal Line）
Ⓑ垂直線（Vertical Line）
Ⓒ対角線（Diagonal Line）
Ⓓ曲線（Curving Line）

（図1）ギュスターヴ・クールベ
《穏やかな海》
Gustave Courbet, *The Calm Sea*, 1869
The Metropolitan Museum of Art, New York

A 水平線

クールベの海辺の作品、《穏やかな海（The Calm Sea）》（図1）はタイトルの通り、見ていて心が落ち着くような海景画です。絵画の場合、地平線、水平線など、画面を上下に分割する線が重要な役割を果たします。このクールベの絵のように、中心より下に横線、つまり水平線を描くことは、上寄りに描いたものと比べ、鑑賞者に安らぎを与えます。大地に並行している横線には、画面により安定感を与える効果があるのです。

B 垂直線

横線を画面構成の中心に据えたクールベの作品とは逆に、縦線にフォーカスしたスティーグリッツの作品（図2）。縦長の写真に高層ビルがそびえ立つ中、一番手前に位置するビルは画面から飛び出しています。これにより、垂直に、上へ上へと突き抜けて上昇する視覚効果を高めています。クールベの横に分割された構図に比べると、動きが出て力強いインパクトのある作品となっています。

（図2）アルフレッド・スティーグリッツ
《シェルトンからの眺め》写真
Alfred Stieglitz, *From My Window at the Shelton, North*, 1931, The J. Paul Getty Museum, Los Angeles

C 対角線

ジェリコーの《メデューズ号の筏》（図3）はよく見ると、二つのピラミッド型を構成する、さまざまな方向へクロスする斜めの対角線でき上がっている作品です。帆とポール、そして筏からポールの頂点へと対角線状に張られた三本のロープとで構成されているのが一つめのピラミッド。二つめは、画面右上、左手で布を振っている唯一垂直に配置された男性を中心に、斜めに折り重なりながらその男性にすがるように配置されている人々で構成されています。荒れた海に翻弄される筏、そして、生死の境に直面する人々の心の揺れる様を、ジェリコーはピラミッドを構成する対角線の力によって、臨場感たっぷりに表現しました。なんというドラマチックな緊張感と躍動感！　水平線が安定をもたらすのとは対照的に、斜線や対角線は不安定感そのものなのです。

（図4）ウジェーヌ・アジェ《サン＝クルー》写真
Eugene Atget, *St. Cloud*, 1915–1919
The J. Paul Getty Museum, Los Angeles

D 曲線

上のアジェの作品（図4）は、曲線が印象的です。手前から見たプールの端が描く曲線が、ゆるやかに私たちの視線を水平線上の彫刻へと誘います。ホガースが強調していた曲線（これはS字にはなっていませんが）の力とは、

（図3）テオドール・ジェリコー《メデューズ号の筏》
Théodore Géricault, *The Raft of the Medusa*, 1818-1819
Photo (C) RMN-Grand Palais (musée du Louvre) , Michel Urtado, distributed by AMF

このように私たちの視線を心地よく誘導してくれる、ということがよくわかる作品ですね。更に、ゆるやかな線は全体の構図を和らげてくれます。人体のカーブにも似たこの線は、まさに「優美の線」なのです。

▼抽象画にみる〈水平線 × 垂直線 × 対角線〉の比較

「抽象画＝難解」と思われている方は多いのではないでしょうか？ アーティストが「線」に込めた思いに注目してみましょう。目から鱗の鑑賞のヒントがきっと見つかります。

水平線と垂直線だけで構成されたピエト・モンドリアンの作品（図5）と、対角線のみで構成されたテオ・ファン・ドゥースブルフの作品（図6）とを比較してみましょう。

モンドリアンの縦・横のジオメトリックな作品からは、安定した静けさが感じとれると思います。赤と青の部分は、まるで静物画のリンゴとナシが置かれているかのよう。

一方の、ドゥースブルフ。斜めに配置された長方形が、画面に動きを出しています。スライドしてキャンバスから落ちてしまいそう

（図5）ピエト・モンドリアン
《赤と青のコンポジションⅡ》油彩
Piet Mondrian, *Composition No. II with Red and Blue*, 1929. New York, Museum of Modern Art (MoMA).（#）

（図6）テオ・ファン・ドゥースブルフ
《不協和音の反構成 16》油彩
Theo van Doesburg, *Counter-composition of dissonants XVI*, 1925
Kunstmuseum Den Haag

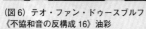

な箱にも見えてきます。活発なヴァイタリティーを感じますね。線が斜めになるだけで、こんなにも受ける印象が違ってくるのは驚きです。

モンドリアンが「静」であれば、ファン・ドゥースブルフは「動」といったところでしょうか。

さわりだけのご紹介でしたが、「線」の効果を感じていただけましたでしょうか？「線」と同様に、「形」と「色」もまた、作品に大きな影響を与えます。形と色についてはまた別の機会に書くとして、皆さんも美術館やギャラリーに行った際、まずは「線」を意識して鑑賞してみることをお勧めします。今までとは一味違う、作品の魅力に気付くかもしれません。

絵画はもちろん、日常生活に存在するさまざまなモノの「線」に注目して生活してみるのも面白そうです。身近な「線」が私たちの感情に与える効果の大きさに、改めて驚かれるでしょう。ホガースが私たちに教えてくれた「線」の見方は、今でも最強の美的鑑賞ツールであることは間違いありません。

▼アートの見方、4つのステップ

これで絵画鑑賞も怖くない！　あらゆる作品を見る時に、次のステップを踏まえて鑑賞すると自分なりの見方ができます。その中でも特に❷の「線」に注目しながら作品を楽しみましょう。

ステップ❶ディスクライブする（Describe）

何が描かれているのか、まずは隅々まで作品を見ること。見れば見るほど、新たな発見があるはず。

ステップ❷分析する（Analyze）

どんな線、形、色、テクスチュア（質感）、構図などが用いられているのか観察する。

自分の感情に訴えかけてくるものはあるか。

ステップ❸解釈する（Interpret）

アーティストは何を伝えようとしているのか、考える。テーマ、ストーリー、メッセージはあるのか。

ステップ❹評価する（Evaluate）

作品について、あなたはどう思うのか。好き？嫌い？なぜ？この答えには、正解も不正解もありません。

クレジット

（＃）Piet Mondrian, *Composition No. II with Red and Blue*, 1929. New York, Museum of Modern Art (MoMA). Original date partly obliterated; mistakenly repainted 1925 by Mondrian. Gift of Philip Johnson. © 2020. Digital image, The Museum of Modern Art, New York/Scala, Florence

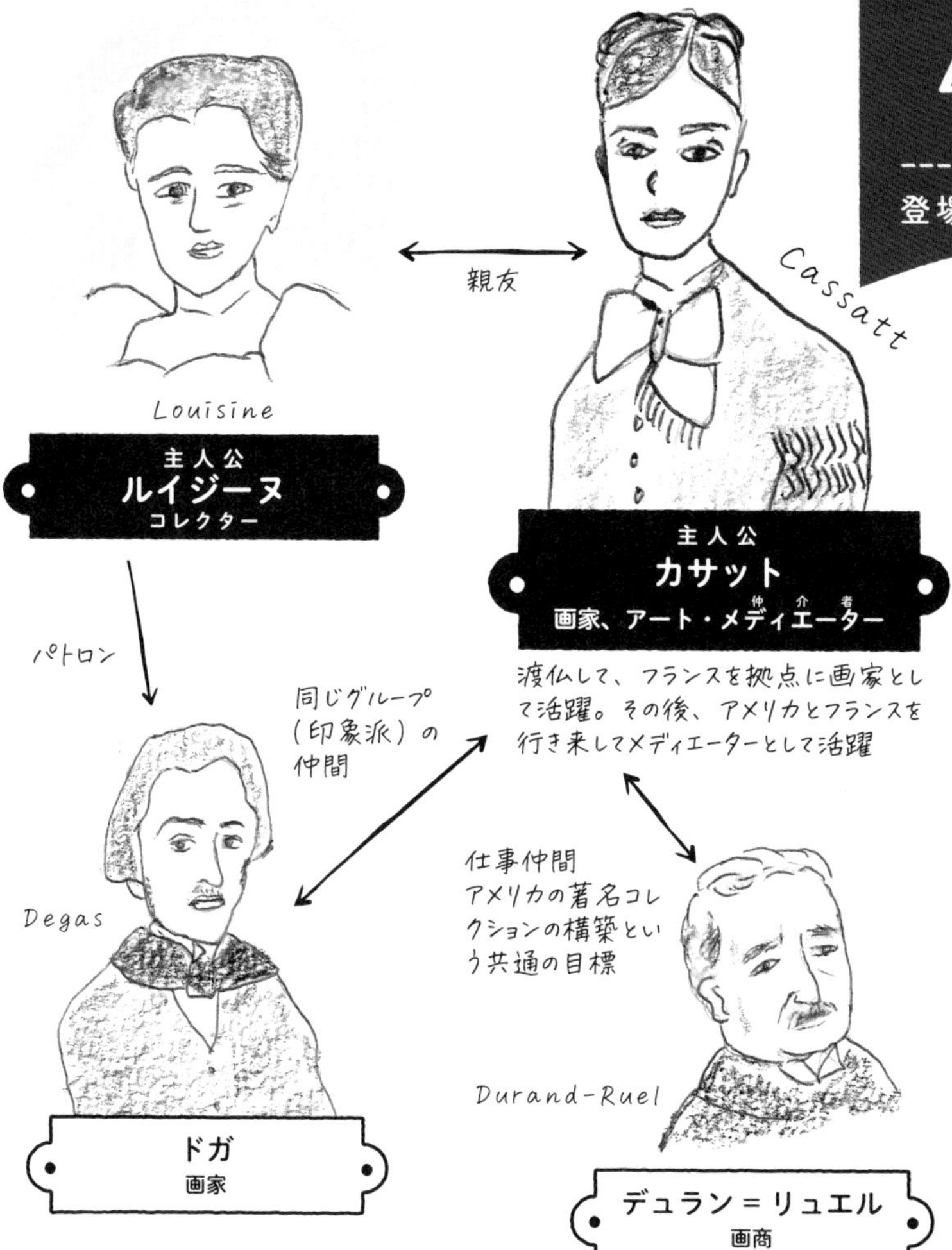

メアリー・カサット

生没年 1844–1926 年　**出身地** アメリカ

代表作 《舟遊びする人たち》《母と子（楕円鏡）》《青い肘掛椅子に座る少女》《手紙》《アフタヌーン・ティーパーティ》

ルイジーヌ・ハヴェマイヤー

生没年 1855–1929 年　**出身地** アメリカ

EPISODE 4

印象派時代の二強女性〈その1〉

アート・メディエーター《仲介者》の画家、カサット

回想録

手紙

【（前略）（ドガの作品はどれも）とても新しくて独創的でした。どのように鑑賞して良いのかわからず、作品が私の好みなのか否かも判断しかねたほどでした。ドガを理解するには、特別な脳細胞が必要なのだと思います。（中略）カサットのアドバイス通り躊躇することなく（作品を）購入しました。（後略）】

（Havemeyer, Louisine W. / Stein, Susan Alyson (edit), "Sixteen to Sixty Memoirs of a Collector", Metropolitan Museum of Art / Ursus Press, New York, 1961/1993, p.249-250, 宮本由紀訳）

これは、後に有名コレクターとなるアメリカ人のルイジーヌ・ハヴェマイヤーが、一八七七年に初めてド

（図1）エドガー・ドガ《バレエのリハーサル》ガッシュとパステル
Edgar Degas, *Rehearsal of the Ballet*, c.1876
The Nelson-Atkins Museum of Art, Kansas City, Missouri.（#）

最初にアメリカに渡ったドガの作品。
回想録の中の「作品」はこれを指していると思われる。

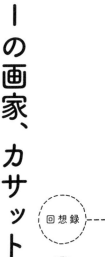

ガの作品を買った時の回想録です。一八七四年に第一回印象派展がパリで開催されたばかり。印象派発祥の地、フランス国内での印象派の評価は散々で、アメリカに至っては全くと言って良いほど認知されていない時代です。このドガの作品（図1）に関して言えば、中心人物が明らかではない上、左右の人物も切り落とされている――まるで偶然撮れたスナップ写真のような構図とストーリー性のない内容にどう反応すれば良いのか、ルイジーヌの困惑ぶりも当然のことだったでしょう。

彼女は、同じアメリカ人で画家のメアリー・カサットの親友でした。好みなのかもよく分からない絵を買う、という決断をルイジーヌにさせたカサット。彼女は画家以外の多彩な顔を持ち合わせた人物でした。カサットはどのような人物だったのか、十九世紀の社会とアート事情、そして女性の置かれていた立場から探ります。更に、カサットとルイジーヌの「画家とコレクター」を超えた密な関係にも迫っていきましょう。

カサットが生きた十九世紀

裕福な家庭に育ったメアリー・カサットが最初にアートを学んだのは、アメリカはペンシルバニアのアート・アカデミーでした。在学中どこか物足りなさを感じていたカサットは、二十歳前後という若さでヨーロッパへ渡り、オールド・マスターを学ぶことを決意します。職業を持つ女性が少なかった時代に、カサットは海を越えてまで画家になる夢を追い求めました。最終的にはフランスで、ドガの誘いによって印象派のメンバーに加わり、彼らと活動を共にします（注1）。

〔女性と美術〕

アメリカでもフランスでも、十九世紀に生きた中流から上流の女性たちが期待されていたのは「良妻賢母」。

EPISODE.4

アート・メディエーターの画家、カサット

ベルト・モリゾ《母と姉》油彩
Berthe Morisot, *The Mother and Sister of the Artist*, 1869-1870
National Gallery of Art, Washington, DC

彼女たちを取り巻いていたのは古めかしい社会的通念でした。女性の居場所は家庭であり、社会で活躍する人はごく少数派。若い女性が絵画やピアノを習うことがあっても、あくまでも教養を身に付けるためであり、生業《なりわい》とするための学びではありません。そんな時代に画家を目指したカサットや、もう一人の有名な印象派女性画家のベルト・モリゾもまた、この慣習を乗り越えなければなりませんでした。

　十九世紀のアート・アカデミーの就学環境も当時の世相を物語っています。カサットが通っていたペンシルバニア・アカデミーは一八四四年、欧州に先駆けて女性も入学が許可されるまで、男性のみが学ぶことを許されていました。このアメリカの事例を皮切りにロンドンは一八六一年、そして更に遅れてフランスは一八九七年と、女性にも門戸が開かれていったという状況でした（注2）。「アカデミー出」というお墨付きステータスを得ること自体も困難でしたが、特に保守的なフランスのアカデミーの「会員」になれるのは稀で、女性が本格的に美術を学べる機会が少なかった時代です。入学できたとしても、受講できるクラスに制限があり、ヌードを描く人物画のクラスや解剖学のクラスは受けられないなど、アカデミー内での差別もありました。

　制約は学びだけにとどまりません。十九世紀に書かれた有名な日記から、今では考えも及ばない日常生活の制限をうかがい知ることができます。わずか二十五歳で亡くなったロシア出身のマリ・バシュキルツェフの日記に

EPISODE.4

アート・メディエーターの画家、カサット

はパリで過ごした日々が綴られているのですが、死後出版されたこの日記が大人気となりました。もとは画家志願だった彼女ですが、今は「日記作家(Diarist)」と呼ばれています。当時、ある程度の社会的レベルにある「レディ」は一人で外出し、美術館や教会、公園へ行ったり、カフェやお店に立ち寄ることはタブーとされていました。常に付添人がいたので、自分一人の意志で自由にスケッチや模写をしに外に出かけられなかったとあります。野心家であるマリにとってこのような制約は息苦しく、毎回友人や家族と約束をして馬車を待たないといけないのはナンセンス、と憤慨していました。画家を目指す女性には、公私共に多くのハードルがあったのです。

カサットや同時代に生きた女性画家が描く作品のテーマが限られてしまう理由は、このように彼女たちを取り巻いていた環境にあります。女性が描いた典型的なモチーフの多くは家族がリビングでくつろいでいるシーンであったり、バルコニーや食卓、お庭の風景や、知人たちを描く「肖像画」でした。多少画風は違っていても、カサット、ベルト・モリゾ、マリー・ブラックモンやエヴァ・ゴンザレスも皆、似通ったテーマを選ばざるを得ませんでした。同時代の男性の印象派画家たちに比べて、斬新性に劣るのは致し方ありません。

メアリー・カサット《舟遊びする人たち》油彩
Mary Cassatt, *The Boating Party*, 1893-1894, National Gallery of Art, Washington, DC
高い水平線、切り取られたモチーフ(船)、非対称な構図などは、浮世絵の影響を受けている。

EPISODE.4

アート・メディエーターの画家、カサット

〔画家としてのカサット〕

カサットは日本の浮世絵に影響を受けて、一八九〇年代にそれまでとは違った構図や版画などにチャレンジしたり、メンター（信頼のおける相談相手）であるドガに倣《なら》い、劇場を舞台に観客の光景も描いたりはしていました。しかし、ドガの斬新な構図やモネの光を捉えた連画のように、強烈に印象に残るような作品は意外と数少なく、メインはやはり室内画でした。

そんなカサットはキャリア後半に繰り返し「母子像」を描いています。一見すると今までの女性画家の流れを汲んだ平凡な肖像画の延長のように見えますが、実はカサットにはハッキリとしたポリシーがあってこれらの作品を描いていました。それまでの古典的な聖母子像は全てが美化されていました。しかし彼女が描いた母子像の子供は、泣いていたり、不機嫌にごねていたり……。平凡な家庭の「普段着の彼ら」を描き出そうとしていたのです。実際の親や子供の様子に対して、忠実で正直な肖像画や母子像を描くことを目指し、さまざまな人間関係や母子の親密なインターアクション《相互作用》を捉えようと人物を描き続けました。普遍的なものを抽象化せずに現代的に表現するのは困難ではありますが、カサットならではの挑戦がここにありました。冒頭にご紹介した友人コレク

メアリー・カサット《青い肘掛椅子に座る少女》油彩
Mary Cassatt, Little Girl in a Blue Armchair, 1878, National Gallery of Art, Washington, DC
フォーカルポイントを右に寄せた独特な空間使いはドガの影響。

ターのルイジーヌ・ハヴェマイヤー夫人は回想録でこのように書いています。

【（前略）まだコレクションを始めて間もない頃、夕食後に主人とミス・カサットとおしゃべりしていた時に、急に彼女はこのように言いました。「偉大なコレクションを作り上げるには、何か現代的なエッセンスも必要ですし、偉大な画家になるには、古典的であると同時に現代的である必要性もあります」。私はこれを聞いて、以前デュラン＝リュエルから買ったミス・カサットの母子像で、私たちが「フィレンツェのマドンナ」と呼んでいた作品を思い出しました。それは、まさに古典と現代を合体させた作品だったのです。（後略）】

(Havemeyer, Louisine W. / Stein, Susan Alyson (edit), "Sixteen to Sixty Memoirs of a Collector", Metropolitan Museum of Art / Ursus Press, New York, 1961/1993, p.278-279, 宮本由紀訳）（図2）

（図2）メアリー・カサット《母と子（楕円鏡）》油彩
Mary Cassatt, *Mother and Child (The Oval Mirror)*, c. 1899
H.O. Havemeyer Collection, Bequest of Mrs. H.O. Havemeyer
© The Metropolitan Museum of Art. Image source: Art Resource, NY

ルイジーヌたちが「フィレンツェのマドンナ」と呼んだカサットの母子像。メトロポリタン美術館のハヴェマイヤー・コレクションの一つ。

ラファエロ・サンティ《マドンナ像》油彩
Raphael Santi（Raffaello Sanzio), *The Small Cowper Madonna*, 1505
National Gallery of Art, Washington, DC

ラファエロの有名なマドンナ。古典的な聖母子像。

カサットの生き方

自立していてインテリ、強い女性というイメージのある典型的なアメリカ人のカサット。女性にとっては制約だらけの十九世紀、しかもフランスは、カサットの母国アメリカに比べると更に保守的でした。この時代を生き抜いた彼女が評価されるべき点は、画家業以外のところにもあります。それは、フランス及び欧州とアメリカの架け橋的な役割を果たしたこと。そう、彼女は生き方そのものがユニークで、その時代における最先端の「モダン」な女性だったことが何よりもスポットライトを浴びるべきだと思うのです。

活動の拠点がフランスであったせいか、本国のアメリカでは当初、思うように知名度を上げることができませんでしたが、印象派と欧州の古典絵画をアメリカに紹介し、アメリカのコレクターや美術館と、欧州（特にフランス）とを繋ぐ活動で成果を上げています。そして何よりもアメリカの美術館の質の向上を強く意識し、貢献しました。現代において、アメリカのどの美術館も第一の理念に「教育」を掲げていますが、カサットはいち早く、その美術館の持つ可能性に気付いていた一人だったのです。

以下の三点は、彼女の手紙集から読みとれるカサットの三大目標です。

（一）欧州の古典絵画を紹介し、アメリカの美術館の質を向上させ、アメリカの文化レベルを上げる
（二）アメリカでの印象派の普及
（三）アメリカでのドガの認知拡大

この目標達成のために、アメリカの裕福なコレクターたちと密な関係を築くことが不可欠であると考えたカサットは、印象派を含む欧州絵画を勧める内容の手紙を数多く出すことで、彼らとの関係性を深めていきます。また、一八八八年にニューヨークにギャラリーの支店をオープンさせたパリの画商のデュラン＝リュエルとも連携を図りながら、アメリカの各著名「コレクション」の構築に貢献しました。

EPISODE.4

アート・メディエーターの画家、カサット

カサットはアートに関する哲学的こだわりも持っていました。例えば、彼女は「審査のある展覧会」には基本的には反対の立場を取っており、展覧会主催者から審査員を頼まれても断っていたようです。また、審査のある展覧会への自身の作品の出品依頼や、賞の受賞も辞退する場合がありました。晩年のカサットは知名度が上がり、画家としての地位も確立されていましたので、そのパワーを持ってして「静かなる」抗議の意を伝えていたのです。そもそも「印象派展」が始まったのも、そのような審査がある展覧会に反対との意思表示だったので（モネp.136参照）、カサットはその時の信念は貫き通したいとの意志を持っていました。どのような誘惑があっても決してブレることのない芯の強さがカサットの最大の魅力なのです。

偉大なるアート・メディエーター

アメリカにおける三大目標達成に向け、彼女は自分の作品はさておき他人の作品を第一に勧めるケースが多々ありました。拠点を置いていたフランスだけでなく、母国アメリカにもネットワークを築いた彼女は自分の仲間にプラスになるよう、自身のポジションを存分に活用していました。そうしたカサットの活動は「アート・メディエーター」と呼ばれることもありますが、「アート・アドバイザー」の方がしっくりくるように思います。メディエーターとは、「架け橋的な」仲介をする人のこと。単純にアメリカのコレクターや美術館の常設コレクションに作品を勧めるだけではなく、欧州留学希望のアメリカ人若手作家へのアドバイス、フランスへやって来るアメリカ人の友人たちのための作家のアトリエ訪問のコーディネイトなど、カサットが情熱を注いだ「アートと人を繋ぐ」活動は、まさに「アート・メディエーター」と呼ぶに相応しいものでした。当時のアメリカでは、コレクター

EPISODE.4

アート・メディエーターの画家、カサット

は死後、地元の美術館に生前購入した作品を遺贈するというスタイルが確立されつつあったので、カサットはそれを見越して何十年後かの未来のために、種撒きをしていたのです。また、自分の兄をはじめ財力のある人々がコレクターとなるように導きました。一八九九年にその兄のアレクサンダー・カサットがペンシルバニア鉄道の社長という権威あるポジションに就任して以来、カサットはアメリカの上流社会とのネットワークを強化し、メディエーターとしての役目で多忙を極めていきます。

またパリの画商、デュラン＝リュエルがニューヨークに印象派を中心としたヨーロッパ絵画を扱うギャラリーをオープンさせた（モネp.138参照）きっかけを作ったのも実はこのカサットです。一八八五年にアメリカン・アート協会から印象派展をニューヨークで開催しないかというオファーが入った際、実現に向けカサットが彼らの間を取り持ちました。この特別展でデュラン＝リュエルは、ほぼ完売するほど作品を売り上げるという成功を収め、その後にギャラリーのニューヨーク支店を開業することができました。カサットはデュラン＝リュエルとはプライベートでもビジネスでも友人であり、アメリカのコレクターや美術館のコレクションを構築するという共通の目的意識を共有していました。カサットはデュラン＝リュエルに次のような手紙を書いています。

【（前略）私はジョンソン氏にフィラデルフィア・アカデミー（美術館）用にエル・グレコを購入するようにと手紙を書いてみようと思います。年間予算が四万ドルあると聞いて、何に使うのだろうかと気になりました。それにしても、私ってなぜこのようなおせっかいをしているのでしょう。（後略）】

I want to write
Mr. Johnson to ask
him to get the
Academy in
Philadelphia
to buy a Greco
……

Letter to Paul Durand-Ruel
from Cassatt

(Mowll Mathews, Nancy (edit), "Cassatt and her Circle, Selected Letters", Abbeville Press, New York, 1984, p. 288, 宮本由紀訳)

この時点で既にカサットは「美術館とは教育機関であるべき」というコンセプトを持っていたようです。手当たり次第に常設コレクションを増やし「カオス状態」にある母国アメリカの美術館を世界水準にするために必要なのは、古典の巨匠（ルネサンスのオールド・マスター）と近現代（印象派）両方の作品であると考えていました。彼女の先見の明が、今のアメリカの美術館の礎を築いたと言えるでしょう。

〔美術館とコレクターの役割〕

「絵画は単なる装飾品」と考えていたと思われる友人のセオダテ・ポープに、次のように手紙に書いています。

【（前略）先日ボストンを訪れた際、彼らに図書館へ連れて行ってもらいました。彼らはそこで熱心に勉強をする少年たちを誇らしげに見せてくださいました。その少年たちもガイダンスなしで本を読み、他人のいろいろなアイディアを学んでいるのでしょうが、私自身は図書館で勉強をするよりは、質の良い美術館の方がよほど刺激になると思います。将来働かなくてはならない少年たちにとって、優れた作品を鑑賞することは、一つのことに秀でる大切さを学ぶ機会となるでしょう。世間の英知は本のページとページの間にあるのではない、と私は以前から唱えてきました。しかしながら、コレクションの状態が最悪なボストン美術館では誰もディレクターにそのような話はしていませんでした。（後略）】

(Mowll Mathews, Nancy (edit), "Cassatt and her Circle, Selected Letters", Abbeville Press, New York, 1984, p.285-286, 宮本由紀訳)

EPISODE.4

アート・メディエーターの画家、カサット

カサットがハヴェマイヤー夫妻と何十年もかけて一緒に作り上げたコレクションは、既に未亡人だったルイジーヌが一九二九年に亡くなった際、そのほとんどがメトロポリタン美術館のコレクションに加わりました。その数は二〇〇〇点近くに及び、当時の美術館への遺贈品数としては最大規模です。翌年の一九三〇年、メトロポリタン美術館はこの遺贈を記念して「H.O.ハヴェマイヤー・コレクション展」を開催し、これを機にメトロポリタン美術館は、欧州美術館の水準に一歩前進することができたのです。

エドゥアール・マネ
《エスパダの衣装を着けたヴィクトリーヌ・ムーラン》 油彩
Édouard Manet, *Mademoiselle V. ... in the Costume of an Espada*, 1862, The Metropolitan Museum of Art, New York
ゴヤを意識して描いた作品。メトロポリタン美術館のハヴェマイヤー・コレクションの一つ。

注釈

（注1）カサットほか女性画家が印象派のグループに属するメリットは、サロンの作品よりは「小さめ」のサイズで「日常」を描くことができること。サロンで目立ち、賞を取るような作品は大体大判物が主流だったので、体力的に女性にはそのスケールは若干ハンデだった。またサロンで一流と呼ばれるものは宗教画や神話画が含まれる歴史画であり、技術的な実力を試される「人体」を描くスキルが必要不可欠。アカデミー内で女性差別がある時代においてこれは不利に働いた。ある意味彼女らにとって技術より感性に重きを置く印象派は「好都合」であった。

（注2）コネで入ることはそれ以前よりあった。

参考文献

・Higonnet, Anne, "Berthe Morisot", University of California Press, 1990
・Kernberger, Phyllis Howard / Kernberger, Katherine (translation), "I am the Most Interesting Book of All, The Diary of Marie Bashkirtseff vol.1", Chronicle Books, San Francisco, 1997

クレジット

（#）Edgar Degas, *Rehearsal of the Ballet*, c.1876, The Nelson-Atkins Museum of Art, Kansas City, Missouri. Purchase: the Kenneth A. and Helen F. Spncer Foundation Acquisition Fund, F73-30. Photo: Gabe Hopkins

EPISODE 4

印象派時代の二強女性〈その2〉

ドガを最初に買った米コレクター、ルイジーヌ

p. 084の冒頭でご紹介した、一八七七年のルイジーヌの言葉。あの回想録で「躊躇している」様子が、彼女のドガへの率直な第一印象でした。この時ルイジーヌはまだ二十代前半独身。一八七四年にパリで出会ったカサットは彼女より一回り年上のメンター的存在で、その知性とウィットにすっかり魅了されていました。ルイジーヌがカサットへ寄せていた全幅の信頼が浮かび上がるエピソードですが、このドガの作品一枚の購入がきっかけとなり、ルイジーヌは生涯アートのコレクションに情熱を注いでいきます。その後もアート関連の相談ごとは全てカサットに持ち掛けていました。

コレクター、ルイジーヌ・ハヴェマイヤー夫人

〔夫婦でコレクターになる〕

一八八三年にルイジーヌは、当時「砂糖王」と呼ばれ、製糖会社を営んでいたヘンリー・ハヴェマイヤー氏と結婚します。ヘンリー・ハヴェマイヤーは既にアートのコレクションを始めており、特にフランスの風景画や東洋装飾美術を収集していました。ルイジーヌとの結婚を機にカサットと出会ってからは、ゴヤやレンブラント、エル・グレコなどのオールド・マスターの作品と共に、前衛と呼ばれるようなクールベやマネ、そして印象派の作品も買い求めるようになりました。ハヴェマイヤー夫妻はカサットを専属のアート・アドバイザーとして

手紙

回想録

EPISODE.4

ドガを最初に買った米コレクター、ルイジーヌ

迎え、特に夫人は何十年にも渡り親交を深めていきます。素晴らしいコレクションを持つニューヨークのハヴェマイヤー邸は美術愛好家のメッカとなりました。わざわざヨーロッパからも見学者が訪れる、美術館のような邸宅だったようです。

ルイジーヌとカサット、二人はフランス―アメリカと離れてはいましたが、お互いの国を行き来する以外に、頻繁に手紙を交わすことでその友情を温めていました。百年ほど前のことですから通信手段はもちろんアナログでした。

〔ペンパルの二人〕

作品のコレクションに関連するやり取りのみならず、日々の愚痴や印象派仲間についての批判から人生についてまで、二人はあらゆることをオープンに打ち明けていました。以下にカサットがルイジーヌに宛てた手紙を数通紹介します。歯に衣着せぬ、カサットらしい言葉が並びます。

エル・グレコ
《枢機卿ドン・フェルナンド・ニーニョ・デ・ゲバラの肖像》油彩
El Greco, *Cardinal Fernando Niño de Guevara*, 1872
The Metropolitan Museum of Art, New York

当時、メガネをかけているポートレートは珍しかったことが、ルイジーヌが購入した決め手になった。

EPISODE.4

ドガを最初に買った米コレクター、ルイジーヌ

【（前略）あなたにいただいたナッツをルノアールにも持っていこうと思います。足が壊疽《えそ》しかけていて、苦しんでおられるみたい。彼の奥様は苦手なのですが、今はナースもモデルも辞めさせたみたいで、いつも彼女がいるのよね。（中略）彼は今、小さな頭をした巨大な女性のとても酷い作品を描いています。ヴォラールは素晴らしいと誉めていますが、デュラン＝リュエルには（私が言う意味が）伝わると思うわ。（後略）】
(Mowll Mathews, Nancy (edit), "Cassatt and her Circle, Selected Letters", Abbeville Press, New York, 1984, p.308, 宮本由紀訳)

【（前略）若い時に自分が到達するであろうアート界でのポジションを知っていれば、どんなに興奮したことかしら。でも、人生の終わりを迎えると、それは何てささやかなことなのか。（中略）（成功なんて）もう、どうでも良くなるのよね。（後略）】
(Mowll Mathews, Nancy (edit), "Cassatt and her Circle, Selected Letters", Abbeville Press, New York, 1984, p.330, 宮本由紀訳)

一方、ルイジーヌが六十歳の時から書き始めた回想録には、カサットのことがこのように書かれています。

【（前略）本物のアーティストとはメアリー・カサットのことです。いつも強い精神と断固とした決意を持ち、最高の理念に向かって邁進

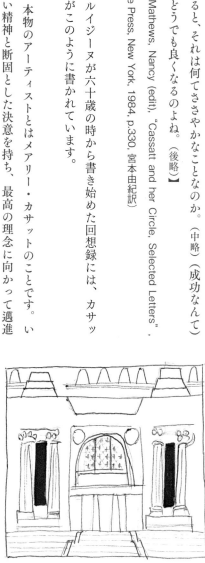

していました。どんなに不利な批判を受けても、冷やかしにあってがっかりさせられようとも、決して自分の軸がぶれることはありませんでした。彼女はよく私にこのように言いました。「画家への道は二つ。広くて簡単な道、あるいは、狭くて険しい道です」(後略)】

(Havemeyer, Louisine W. / Stein, Susan Alyson (edit), "Sixteen to Sixty Memoirs of a Collector", Metropolitan Museum of Art / Ursus Press, New York, 1961/1993, p.268, 宮本由紀訳)

ルイジーヌは、カサットは「自立した強い女性」であり、リベラルアーツ(注1)的な学びを与えてくれる存在であると回想録に何度も書いています。カサットの一つ一つの発言には新鮮なコンセプトが詰まっており、そこからあらゆる目覚めをルイジーヌは得たのです。また、他人を褒め称える一方、自分に関しては自慢することなく、控えめであったこともカサットの魅力の一つだったようです。

しかしながら、カサットの強い信念と行動力は裏目に出ることもありました。カサットは晩年、自分が刷った版画を巡り生じた誤解から、ルイジーヌと距離を置くようになってしまったのです。和解しないままカサットが他界しますが、ルイジーヌの心の中では、カサットは常に特別な存在であり続けました。

(注1)liberal arts。さまざまな学問を横断して物事を理解する人文系の一般教養。現代のアメリカにおける大学の一般的なリベラルアーツの科目には、美術・歴史・文学・哲学・宗教学・社会学などがある。元はギリシャ・ローマ時代からルネサンス期にかけて一般教養の基本となった七科のこと。人間としてより自由に生きていくための教養。

EPISODE 4

印象派時代の二強女性〈その3〉

カサットとルイジーヌの女性参政権運動

新聞 手紙 雑誌

アートと女性参政権運動

カサットとルイジーヌは晩年、アメリカの女性参政権運動にも関わります。ルイジーヌが女性参政権に興味を抱き始めたのは一九一〇年頃とされていますが、自立心旺盛なカサットの影響だけではなく、母親が参政権に興味を持っていたという理由もあったようです。また一九〇七年には精力的に参政権運動を支持するようになるきっかけが訪れます。わずか一か月間の間に、夫と母親と孫を次々と亡くすのです。自殺を考えるほどの鬱に悩まされますが、活動に参加することでメンタルの回復の足掛かりを得たルイジーヌは再びアート熱を取り戻し、作品購入や展覧会の企画、回想録や参政権運動に関連する記事を書くなど動き出していきました。

〔女性に参政権がなかった時代〕

「女性参政権運動」と聞いても、現代を生きる読者の皆さんにはあまりピンとこないかもしれませんね。今や我が国の女性も選挙権がありますが、それは第二次世界大戦後になってからのこと。実はアメリカでも一九二〇年まで、女性が政治に参加する権利は与えられていませんでした。カサットが住んでいたフランスや、ここ日本では、アメリカから更に遅れること二十数年後の一九四五年まで女性に参政権はなかったのです。ルイジーヌはこの運動をアートと連動させながら、自分の可能性をも開拓することで鬱から復活します。上流階級のマダムだったルイジーヌですが、夫が他界した後は次第に過激な活動家へと転身をとげていきました。当時、参政権運動に関わることと自体とても勇気のいることでしたが、懸命に戦った結果、一九二〇年には女性も参政権を獲得し、その大義を果たせたのでした。

「女性参政権運動のための、古典派巨匠とドガ、カサット展」

一見関わりがないように見える参政権運動とアート。いったいどのように関係していたのでしょうか。ルイジーヌにはスピーチの才能がありましたが、それが開花したのは、彼女が参政権運動の資金集めのためにカサットと共に企画した展覧会がきっかけです。一九一五年に二人は、「女性参政権運動のための、古典派巨匠とドガ、カサット展」(Suffrage Loan Exhibition of Old Masters and Works by Edgar Degas and Mary Cassatt)をニューヨークのノードラー商会(M. Knoedler & Co.)という画廊を借りて開催します。

展覧会の出品作品の半分はルイジーヌのコレクションからで、後の作品の多くはカサットが知人のコレクターから貸し出しをしてもらえるよう精力的に動きました。開催目的が政治的だったため、一部の著名なコレクターたちは展覧会に足を運ぶことをボイコットし、開催画廊とそのディーラーとは今後取引をしないと公言した人も

エドガー・ドガ《帽子屋》パステル
Edgar Degas, *Little Milliners*, 1882, The Nelson-Atkins Museum of Art, Kansas City, Missouri.（#）
『女性参政権推進のための、古典派巨匠とドガ、カサット展』に実際に出品された作品。P.101 の New York Times の記事と共に掲載された。

EPISODE.4

カサットとルイジーヌの女性参政権運動

いたようです。ルイジーヌは屈せずに運動資金集めに策を練り、思い至ったのが自らの「講演」による展覧会の有料化でした。カサットのアドバイス通り、展覧会には「古典と現代」の両方をラインナップすることを守っていたルイジーヌ。講演の内容はおのずと、現代を象徴するドガとカサットについて、そして古典との比較などを盛り込んだものとなりました。

しかし美術についての語りはルイジーヌにとって大変難しいものでした。アメリカで最初にドガを購入し、画家本人とも友人関係にあることや、彼の応援を十年以上続けていることでアメリカの美術批評家たちは当然ルイジーヌの発言に注目します。反論してくる人もいるのではないだろうか……ルイジーヌは自分の不安な気持ちを後のエッセイに書き留めています。しかし結果は、「あなたのお陰で、ドガのことを本当に理解することができた」との高い評価を得ます。また講演内容のドラフトを事前にプレスリリースし、後にパンフレットとして販売、資金調達にも成功したのです。調達した金額、スピーチの高評価、いずれも本人が大いに満足する結果でした。ニューヨーク・タイムズ紙には展覧会のレビューが載り、知名度の低かったドガは称賛され、これをきっかけに評価が高まります。ルイジーヌとカサットの精力的な活動により、目標の一つであった「アメリカでのドガの認知拡大」が実現したのでした。

【(前略)ドガ初心者にとって、彼の作品には矛盾があるように見えるであろう。なぜ厳格な画家でありながら、踊り子をモチーフにできるのだろうか。なぜ時代における線の偉大なるマスターでありながら、素敵なパネルに春の花壇のように色を咲かせることができるのだろうか。なぜ最も厳しいリアリストでありながら、自然とデザイン感覚を密に結び付けることができるのだろうか。唯一の答えは、彼が最高のアーティストであり、これらの全てを行うことができるということだ。(後略)】

(“Exhibition for Suffrage Cause; Art at Home and Abroad”, New York Times, April 4, 1915, 宮本由紀訳)

{“Women should be someone and not something”}

一方カサットも、この展覧会へ全面的に協力することで、公的に「女性参政権支持者」とのレッテルが貼られます。彼女も、もしアメリカ在住だったら、ルイジーヌと同じく活動家になっていたかもしれません。“Women should be someone and not something.”（＝女性は何かではなく、誰かになるべきだ）。カサットはこんな言葉を残していますし、そもそもカサットの普段のフェミニスト的振る舞いがルイジーヌをインスパイアしたのですから。カサットはルイジーヌと参政権について手紙で意見交換をする中で、このように書いています。

【（前略）参政権は女性が欲しいと思った時に与えられるでしょう。問題は、女性たちの多くが参政権を必要だと感じていないことです。アメリカの女性は甘やかされて子供のように扱われてきましたが、そろそろ義務を果たすべき時代が来たのだと思います。ある方は女性と男性にはそれぞれ違った「領域(sphere)」があり、それぞれがその領域内にとどまるべきだと話されていたようです。ぜひその「領域」とは何なのか説明していただきたいわ。彼は自分のお嬢さんのために服を注文し喜んでおられますが、それこそ女性の「領域」ではないでしょうか。多くの男性は女性が自分自身の装いを決めるより、彼らが決めてあげた方が良いと思っているようです。（後略）】

（Mowll Mathews, Nancy (edit), “Cassatt and her Circle, Selected Letters”, Abbeville Press, New York, 1984, p.309, 宮本由紀訳）

先の展覧会開催後には次のような手紙も書いています。カサットも女性が参政権を得ることで戦争なき平和な社会が実現することを期待していました。第一次世界大戦真っただ中において、二人共同じ方向を向いていたことが分かります。

【（前略）ヨセフ・デュラン＝リュエルによると、展覧会の趣旨のせいで、多くの人たちが来なかったようだわ。社会は参政権に本当に反対しているのね。人々は彼に、素晴らしい内容の展覧会には行きたかったけれど、その目的に賛同できず行けなかった、と言ったようです。（中略）もう、うんざりするようなことばかりです。（中略）あなたが多くの人前で話すことができて本当によかった。きっと良い方向へ進むわよ。私も目のことでもし画業を止めた場合、余生を（女性解放に向けた）伝道者として過ごせるかしら？（後略）】（注1）
（Mowll Mathews, Nancy (edit), "Cassatt and her Circle, Selected Letters", Abbeville Press, New York, 1984, p.324, 宮本由紀訳）

【ルイジーヌの荒技】

参政権運動中、ルイジーヌはホワイトハウス前のデモに参加し、刑務所に入れられるというエピソードがあります。既にアメリカのウーマンズ・ポリティカル・ユニオン(Women's Political Union)（注2）、そして後には、ナショナル・ウーマンズ・パーティー（National Woman's Party）（注3）を支持していたルイジーヌでしたが、ある日代表のアリス・ポールに、実際にデモに参加してわざと刑務所に入ることを頼まれます。

アリス・ポールは、後に「プリズン・スペシャル（Prison Special）」と呼ばれることになったキャンペーンを構想しており、大人数が同時に逮捕されることを計画していました。「民主主義を唱える国で、女性の権利を主張したがために刑務所に入れられた」女性がいれば民衆や権力へのアピールになる。そして実際に刑務所に入れられた女性こそが、この「プリズン・スペシャル」のキャラバンでスピーチするのにふさわしいと考え、それまでキャンペーンで力強いスピーチを繰り返していたルイジーヌに依頼したのです。ルイジーヌは囚人服を着たまま、刑務所でいかに酷い待遇であったのかを民衆に訴え掛けました。彼女らが目指したのは、憲法に女性参政権が盛り込まれることであり、そのためには時の大統領ウッドロウ・ウィルソンに動いてもらう必要があったのです。この荒技は成功し、目的は果たされました。

カサットとルイジーヌの女性参政権運動

ルイジーヌが刑務所に入った一件は早速翌朝の朝刊のヘッドラインに載り、家族や知人から続々と電報が届きました。中には彼女を恥じる家族や親せきもいたそうです。ルイジーヌはこの時の壮絶な体験談を詳細に綴ったエッセイを二本、憲法が制定された後の一九二二年に『スクリブナーズ(Scribners)』という雑誌に寄稿しました。

【(前略)何か通常とは「変わったこと」をするときは、自分のファミリー・ツリー(家系図)を思い起こした方が良い……。(後略)】

(Scribners magazine, "Memoirs of a Militant – The Prison Special", June 1922, p.672, 宮本由紀訳)

彼女があえて選択した茨の道は、裕福で平穏な老後を捨てるということでもあったのです。

注釈

(注1)カサットは晩年、白内障に苦しんだ。

(注2)ルイジーヌが最初に参加していた団体。ハリオット・スタントン・ブラッチが設立したが、後にアリス・ポール率いる「全米女性党」と合併した。

(注3)「全米女性党」。ハリオットのウーマンズ・ポリティカル・ユニオンが、アリスのナショナル・ウーマンズ・パーティーと合併したため、ルイジーヌは「全米女性党」の党員として活動した。

クレジット

(#) Edgar Degas, Little Milliners, 1882, The Nelson-Atkins Museum of Art, Kansas City, Missouri. Purchase: acquired through the generosity of an anonymous donor, F79-34. Photo: Tiffany Matson

女性参政権を求めるデモ

Women Marching in Suffrage Parade in Washington, DC, 1913, Courtesy U.S. National Archives

column 04

現代における美術館の理念&役割

▼コレクションごとに違う「条件」設定@アメリカ

カサットの時代から現代に至るまでアメリカでは、コレクターが死後コレクションをまとめて遺贈する際に、「(展示方法などの)条件」を付帯することが慣例です。しかしハヴェマイヤー夫妻からの規定に関する提示は少なく、おそらく美術館側としてはさまざまな意味において受け入れが容易であったのではないか、と推測されます。

では「条件」とは具体例にどのようなものであるのか、ハヴェマイヤー夫妻、そして私が昔勤めていたヒューストン美術館へ寄付した、別の未亡人のケースを具体的に比較してみましょう。

【メトロポリタン美術館(ハヴェマイヤー・コレクション)】

❶美術館内のギャラリー(部屋)に彼らの名前を付けなくてよい(注)。

❷展示方法に関する規定なし。

❸美術館外への貸し出し可。

【ヒューストン美術館(ベック・コレクション)】

❶コレクションが入っている新館の名前を「ベック・ビルディング」という名称とする。

(ただし、これは美術館側が提案した可能性大)

❷コレクションを展示する壁はピンク色にすること。

→105

❸ 美術館外への貸し出し不可。

ヒューストン美術館の❷壁はピンク色、という指定には驚きますね。この規定はキュレーターたちを相当悩ませたようです。結局、寄贈当時はピンクはピンクでもあまり目立たない、薄いサーモンピンクに落ち着きました。また❸の国内外への作品の貸し出しについて、ヒューストン美術館の場合は、不可となっています。「なんと不寛容な!」と思われそうですがこれには理由があるのです。コレクターというのは「地元に還元する」という想いがとても強く、地元市民が自分の好きな作品をいつ行っても常設エリアで楽しめるようにという考えから、他の地域への貸し出しは不可としたのです。

またアメリカの場合、個人のパトロンだけではなく地元企業の寄付も重要な役割を果たしています。美術館によっては毎週ある特定の曜日を無料日としているところが多いのですが、どこかの地元企業がスポンサーとなり「入場無料」が実現しています。美術館で行われる特別レクチャーなども企業が関わっており(講演者一人を呼ぶのに、出演料から渡航費まで経費がかかる)講演者を紹介するMCは必ず「本日のレクチャーは〇〇会社のスポンサーシップで実現できました」という一言を入れたり、チラシにもその企業のロゴが入ったりします。昔も今も、アメリカの地元コレクターはその地域への文化貢献をとても大切に考えており、実際地域のカルチャー(美術館、シンフォニー、オペラ、バレエなど)は、彼らの寄付や遺贈によって成り立っているのです。

▼アメリカの美術館が大事にする「教育」

このようにアメリカではコレクター、美術館共に、地元貢献を非常に意識しており、中でもその街に住む者の「教育と文化育成」を特に重要視しています。欧州の場合、美術品のコレクションは、歴史を辿れば「戦利品」だったということもあり、「教育」というよりは戦利品を「保存・修復・陳列」するといった方向に力を入れてきました。一方、アメリカの美術館はカサットの時代を契機に変わり始め、今やどの大都市にも存在する大規模総合美術館（encyclopedic museum）も立派な教育機関へと成長しています。各美術館で行われる、レクチャーやガイドツアー、その他イベントやキッズ向けのワークショップなど非常にレベルが高いものが多く、またウェブサイトを見ただけでもその力の入れようは一目瞭然です。美術を学びたい者には、エンドレスに学べる教材また教師向けの資料なども充実しており、どれも無料でダウンロードできるという寛大さ。数年前からは、美術館が持つ常設作品の画像を私用・商用を問わずに、全てオープン・アクセス（ダウンロードフリー）にしているところが続出しています。アートを教育の題材にすることに関しては、今や欧州の美術館がアメリカを追随するという、昔とは逆のパターンになってきています。

▼日本の美術館事情

一方、日本では、常設のコレクションを持つ美術館は極めて少数です。常設展示というコアがないとそこからの広がりが制限され、学芸員も自分たちの身近な作品にじっくりと集中して研究できず、また常設を使って、どのように人を教育していくのか……？　というところまで考えることができません。数か月ごとに目まぐるしく変わる企画展ばかりにフォーカスしてしまうと、本来の常設がおろそかになるという悪循環を招き、アメリカの教育レベルにはなかなか追い付けない現状があります。また、ボランティアの受け入れが「誰でもウェルカム」なアメリカの美術館に比べると、日本はハードルが高いように見受けられることも残念です。

多目的ホールのような、あるいはコマーシャル・ギャラリーのようなハコ型美術館ばかりが乱立し、市民の教育目的としてのアートというのは後付けで、単なるお金儲けのビジネスとなっているように客観的には見えてしまいます。

であればせめて、作品の前で同行者と自由に感想を話し合えるようにしてもらえると良いですね。作品というものは我々に問いかけてきますので、それに応えてようやく鑑賞が成り立つのではないでしょうか。きっとカサットとルイジーヌも二人で語り合いながらアート巡りをしていたに違いありません。カサットとルイジーヌのような絶妙なコンビ、画家兼アート・メディエーターとコレクター、というコラボレーションが生んだ美術界の好循環が、日本でもより多く誕生するのを願うばかりです。

▼作品の Dedication

職場のヒューストン美術館を去る際、当時一緒にスタッフとして働いていたリサーチ・ライブラリー仲間とキュレーターの方が、私に写真作品を dedicate（＝捧げること）してくださいました。彼らは、美術館のコレクションにふさわしいと思う作品をお金を出し合って買い上げ、私への dedication 作品として美術館に寄贈するという方法で、私へのはなむけとしてくれたのです。その作品が展覧会でお披露目される際にはキャプションに作家、タイトルと共に「Gift of the staff of the Hirsch Library in honor of Yuki（ライブラリー一同より宮本由紀に感謝を込めて）」といったクレジットが入ります。美術館のウェブサイトで作品検索をしてもこのクレジットは入っています。

こんなに素敵な贈り物ってあるでしょうか!? 確かに、ルイジーヌレベルのコレクターにはよく見られるパターンではありますが、一般市民も気軽に dedication できるんだ！ と当時は強く感銘を受けました。仲間たちの温かい気持ちに胸がいっぱいになったと同時に、アメリカの寄付文化に根差した洒落たギフトの贈り方に改めて感動しました。お金には代えられない最高のギフト。日本でもこのような文化が浸透すると嬉しいですね。

注釈

（注）欧米の多くの美術館の各小部屋に「○○ギャラリー」と、家族のファミリー名が付けられているのは、それぞれの寄贈者へ謝意（あるいは、そのような条件付きの場合も）を意味する。

EPISODE 5 登場人物

主人公
ラファエロ
画家

ラファエロ・サンティ

生没年 1483–1520年

出身地 イタリア

代表作
《アテネの学堂》《アルバの聖母》
《小椅子の聖母》
《ベルヴェデーレの聖母》
《キリストの変容》
《ガラテアの勝利》

芸術の三賢人

アルベルティ
ヒューマニスト

ヴァザーリ
美術史家

レイノルズ
アカデミシャン

EPISODE 5

「人間力」という才能、ラファエロ

するめタイプは飽きがこない

ラファエロのオリジナリティー「人間力」と「統合力」

アート界きってのナンバー1愛されアーティスト、それがラファエロです。ルネサンス三大巨匠の一人として不動の人気を誇るラファエロですが、同時代の先輩、ミケランジェロやダ・ヴィンチといった超人級の天才たちと比べると、意外なことにアーティスティックな能力はそこまで突出していたわけではなかったようです。ではなぜ、彼は先輩二人と同格、いやそれ以上の評価を得るに至ったのでしょう。レイノルズ、ヴァザーリそしてアルベルティら三賢人が残した言葉が、この疑問に対する答えを語ってくれます。画家としてのポジションの確立や、仲間たちに高い人間性で対峙する姿勢。彼らが残したラファエロに関する記述は、「個性」を求められる現代を生きる私たちにも、大きな気付きを与えてくれます。

〔完璧なるルネサンス・アーティスト〕

十五世紀～十六世紀のルネサンス期に活躍した三人は、誰もが知るミケランジェロ、ダ・ヴィンチそしてラファエロ。このエピソード5の主役、ラファエロ・サンティ（一四八三―一五二〇）は三人の中で一番年若く聡明で仲間から慕われ、ローマ教皇の寵愛も受けた好青年。しかし他の二人のような革新的なタイプではなく、先輩

伝記

講話

に比べるとちょっと地味。そんなラファエロがわずか三十七歳で亡くなった後、「完璧なる」ルネサンス・アーティストとして称賛され、以降十九世紀まで「理想美の模範」とされるに至った経緯を二段階に分けて見ていきましょう。まずはファーストステップ。それは、リスペクトする巨匠二人の「模倣」でした。

〔三大巨匠への道ステップ1……模倣〕

ラファエロは、画家であった父ジョヴァンニ・サンティのもとに生まれます。ルネサンスの芸術家たちの伝記を記したヴァザーリによれば、ジョヴァンニは「大した画家ではなかった」ようですが、息子ラファエロの才能にはいち早く気付きます。ラファエロに教養を付けることを意識して文化的な環境で育て、当時ペルージャで知名度が高かったピエトロ・ペルジーノの工房に弟子入りさせました。八歳で母を亡くし、更に十一歳で父をも亡くしたラファエロでしたが、度重なる不運にも負けず、周りの優れた画家からテクニックを吸収し、実力を付けていきます。

　しかし画風に関して、若きラファエロは師匠ペルジーノの多大な影響下から抜け出すことができずにいました。師匠の画風に物足りなさを感じ始めていたある日、

ラファエロ・サンティ
《アルバの聖母》油彩
Raphael Santi(Raffaello Sanzio), *The Alba Madonna*, c. 1510
National Gallery of Art, Washington DC

EPISODE.5

「人間力」という才能、ラファエロ

ラファエロはダ・ヴィンチが描く人物画に遭遇し、圧倒的な迫力に衝撃を受けます。ラファエロはダ・ヴィンチスタイルの研究に没頭して模倣するようになり、ペルジーノの様式の殻を脱ぎ捨てていきました。しかしヴァザーリは伝記に次のように書いています。

【（前略）甘美さとか、ある種の自然な巧みさといった点ではラファエルロのほうがレオナルドより秀れている、という意見も多かったが、それでも、さまざまな構想の下にある恐るべき基本とか芸術的な偉大さといった点では、ラファエルロはなんとしてもレオナルドに及ばなかった。このような点にかけては、レオナルドに匹敵する人はほとんどいなかったのである。しかしそれでもラファエルロは他の画家の誰よりもレオナルドに迫った人で、とくに色彩の優雅さにおいてそうであった。（後略）】

（『芸術家列伝2』ジョルジョ・ヴァザーリ著、平川祐弘・小谷年司訳、白水社、二〇一六年、一〇九～一一〇頁）

ラファエロは「色彩の優雅さ」においては誰よりもダ・ヴィンチに迫った人物とされてはいますが、「芸術的な偉大さ」においては及ばず、ダ・ヴィンチを超えることはできなかったとあります。諦めたラファエロが次に目標に掲げたのはミケランジェロでした。彼がシスティーナ礼拝堂の天井画《創世記》に取り掛かっていたのと時を同じくして、ラファエロはすぐ近くのローマ教皇の住居である宮殿内の装飾を手掛けることになりました。

ミケランジェロの制作過程を目の当たりにしたラファエロはその様式を必死に学び、特に裸体の研究に励んだようですが、最終的にラファエロが到達した境地についてヴァザーリは伝記で次のように述べています。

【（前略）しかしそれでもラファエルロは、裸体画についてはミケランジェロのような完成度にはけっして到達し得ないことを自覚していたので、いろいろと思いめぐらしたが、その結果、分別のある人として次のような結論に達した。すなわち、絵画はけっして単に裸の人体を示すためにあるのではなく、より広い領域をもっている。完璧な画家といわれる人々のなかには次のような画家も含まれるべきだ。――物語の情景を工夫してそれを巧みに容易に表現し、いろいろな思いつきを上手に描く。そして物語絵の情景を構成する際にあまりにたくさん描きこんで物語を駄目にすることもなく、またあまりに描き足らなくて物語を貧弱にしてしまうこともなく、上手な工夫と秩序の感覚で物語絵を作りあげる――そうした人も分別に富んだ価値ある画工と呼ばれるべきだ。（後略）】

（『芸術家列伝2』ジョルジョ・ヴァザーリ著、平川祐弘・小谷年司訳、白水社、二〇一六年、一一一〜一一二頁）

〔三大巨匠への道ステップ2……オリジナリティの確立〕

【（前略）ラファエルロはこうした特質について熟考した後、ミケランジェロが手をつけた分野ではとても彼に追いつけない、それならこうした分野でミケランジェロに匹敵しよう、そしてできるなら凌駕しよう、と決心した。それでミケランジェロの様式を真似ることに打ち込んで空しく時間を失うことを止め（中略）彼とは違うこうした分野で普遍的に認められる最良の人たろうと努力した。（後略）】

（『芸術家列伝2』ジョルジョ・ヴァザーリ著、平川祐弘・小谷年司訳、白水社、二〇一六年、一一二〜一一三頁）

ラファエロは、ライバルと同等のレベルに達し追い越すことを目指しても時間の無駄だと悟り、自分の持ち味を探り当てオリジナリティとして確立するしかないと考えました。では、強烈に秀でているものがあるわけではなかったラファエロが確立した自身の「オンリーワン」とは何だったのでしょうか。ミケランジェロもダヴィンチも用いていない手法——ユニークな構図、建築物や風景を取り入れ、優美に人物を描き込むことなど——で創作する「物語絵」に、ラファエロは自身の能力を活かしきる方向性を見出したのです。そう、彼は最終的に「普遍的に認められること」を選択しました。これこそラファエロの最大の特徴であり、その後何百年も続く古典主義の基本となったゆえんです。「模倣」を脱し、「普遍」というオリジナルのスタイルを確立した過程こそが、ラファエロが不動の地位を獲得するに至ったセカンドステップでした。

アカデミシャン、レイノルズが語るラファエロの「統合力」

この「普遍性」について、十八世紀のアカデミシャン（注1）、ジョシュア・レイノルズの「講話」に学ぶことができます。イギリスの肖像画家で、ロイヤル・アカデミー（王立美術院）の初代学長だったレイノルズ。理論家でもあった彼は、一七六八年に設立されたこのアカデミーの学長に任命されました。以来彼は毎年年末の総会で、アカデミー会員向けにスピーチをしています。このスピーチは「講話（discourse）」と呼ばれ、今でもその講話集はイギリスの貴重な芸術論として存在しています。講話は全部で十五話ありますが、第五講話（一七七二年十二月十日の、アカデミーの学生に向けたスピーチ）を見てみましょう。ラファエロとミケランジェロを比較する部分もあります。

【（前略）私の助言は一言で言えば、より高い卓越性にみなさんの主たる注意を集中しなさい、ということです。（後略）】

（『18世紀イギリスのアカデミズム藝術思想：ジョシュア・レノルズ卿の『講話集』』ジョシュア・レノルズ著、相澤照明訳、知泉書館、二〇一七年、六十八頁）

レイノルズが最も会員たちに伝えたかったのは「卓越性（excellences）」について。作家が一番得意としている部分（＝卓越性）を持ちなさいということでした。また、その卓越性の様態は二通りあると言っています。

【（前略）より高次の様々な卓越性を結びつけて、最も効果的に美化すること（後略）】

（『18世紀イギリスのアカデミズム藝術思想：ジョシュア・レノルズ卿の『講話集』』ジョシュア・レノルズ著、相澤照明訳、知泉書館、二〇一七年、八十頁）

人物の優美な描写、バランスの取れた構図、明快な色彩など、ラファエロのように「さまざまな卓越性を結び付けて」より美しいものにするという「卓越性」――これが一つめです。レイノルズはこれを一貫性主義と呼んでいますが、「統合力」と言うと分かりやすいかもしれません。

【（前略）卓越性の中の一つを最高の程度にまでもたらすこと（後略）】

EPISODE.5

「人間力」という才能、ラファエロ

（『18世紀イギリスのアカデミズム藝術思想：ジョシュア・レノルズ卿の『講話集』』ジョシュア・レノルズ著、相澤照明訳、知泉書館、二〇一七年、八十頁）

これが二つめの卓越性。一貫性主義に対して、一点豪華主義と言ったところでしょうか。ミケランジェロの力強い独特な作風について言及しているように思えます。彼が描く人物はその動作や姿勢や姿形など全てが誇張されていて、生身の人間とはかけ離れている、とも述べています。

【（前略）我々と同類であることを思い起こさせるものは何もありません。（後略）】

（『18世紀イギリスのアカデミズム藝術思想：ジョシュア・レノルズ卿の『講話集』』ジョシュア・レノルズ著、相澤照明訳、知泉書館、二〇一七年、七十五頁）

更に、レイノルズはこの偉大なる二人の巨匠を比較しながら、最終的にはどちらの作家が上位（ファースト・ランク）を占めるべきか、検証を進めていきます。

【（前略）相互に比較参照してみますと、ラファエロのほうが趣味能力と空想に、ミケランジェロのほうが天才と想像力に富んでいました。一方は美に秀で、他方は活力《エネルギー》に秀でていました。ミケランジェロのほうが詩的霊感に富み、その思想は広大かつ崇高です。（後略）】

（『18世紀イギリスのアカデミズム藝術思想：ジョシュア・レノルズ卿の『講話集』』ジョシュア・レノルズ著、相澤照明訳、知泉書館、二〇一七年、七十四頁）

ラファエロの作品のキーワードはバランスとハーモニー。「高貴な構成」はラファエロ自身によるものですが、その「素材」は借用したものばかり。優美な人物を描くために、他人のアイディアや既存の技法を取り込んでラファエロ風に標準化させ、完成品にしていく。ラファエロは、イチを十にする力を持つアーティストでした。ミケランジェロはその真逆、ゼロをイチにする圧倒的な想像力を持った人。レイノルズは、ラファエロの才能の導火線に火を付けたのはミケランジェロだった、とも書いています。そして次のように結論付けています。

【(前略)ラファエロとミケランジェロのいずれが上位を占めるべきなのかという問いに対して、もし藝術の高次の美質をより偉大に結合した人が誰よりも優先されるならば、ラファエロが上位であることは疑いようもありません。しかし、ロンギノスが考えるように、崇高とは人間の創作の到達しうる最高の卓越性であり、他のいかなる美の欠如も充分に埋め合わせ、他のどんな欠陥も贖うものであるとしたら、ミケランジェロが優先されるでしょう。(後略)】

(『18世紀イギリスのアカデミズム藝術思想：ジョシュア・レノルズ卿の『講話集』』ジョシュア・レノルズ著、相澤照明訳、知泉書館、二〇一七年、七十五頁)

この文章だけを読むと、上位はどちらなのか非常に分かりにくいですね。一つの基準で単純に比較はできない、それがレイノルズの本音であったのでしょう。美術界における時代背景もまた、レイノルズが明確な判断を避けた理由の一つだと思います。当時は、調和の取れた構図と明快な色彩、全体的に上品さが漂う知的さ、つまりラファエロが得意としていた画風が絶対的なアカデミックの規範とされていました。アカデミーの頂点に立つレイノルズに期待されていたのはラファエロを推すこと。レイノルズはミケランジェロの高い芸術性に傾倒しつつも、ラファエロの力を「統合力」として高評価することで、その要求に応えたということころでしょう。

次はラファエロの「統合力」を、作品で具体的に見ていきましょう。ミケランジェロの作品と対比してみます。この対照的な二作品からは、ミケランジェロとラファエロ、二人の巨匠の「持ち味」がより鮮明に浮かび上がってきます。二人の優劣を付けがたいと感じでいたレイノルズの気持ちも理解できるかもしれません。

卓越した動と統合の静――ミケランジェロ《最後の審判》VS ラファエロ《アテネの学堂》

〔ミケランジェロ《最後の審判》〕

まずはミケランジェロの《最後の審判》(図1)。作品内の人体表現は誇張されていて、時代を先取りしすぎているようにも思えます。ラファエロが《アテネの学堂》(図2)を描いた一五〇九年から一五一一年の、約二十五年後の作品ですので、それを考慮する必要があるとは言え、盛期ルネサンスの作品としてはかなり先駆的で、完成後は賛否両論がありました。

《最後の審判》のストーリーは新約聖書の『ヨ

(図1) ミケランジェロ・ブオナローティ《最後の審判》フレスコ
Michelangelo Buonarroti, *Last Judgment*, 1536-1541
Sistine Chapel, Vatican Museums, Vatican City, World History Archive, Alinari Archives, distributed by AMF

EPISODE.5

「人間力」という才能、ラファエロ

ハネの黙示録』に記載されています。世界の終末において神が人類の罪を裁く時、キリストが復活し全ての死者を蘇らせ、裁きを行うという内容。神の国の民の名前を記した書物『いのちの書』にその名が記されている者は永遠の生命を与えられ、記されていない者は火の池に投げ込まれる。このシーンをミケランジェロは次のように表現しました。

中央には、地獄行きの人々を打ち倒す姿勢で右手を上げ、左手でやさしく天国に召される人々を呼び入れるキリストの姿。キリストを中心に、その手に操られるかのごとく左に上昇する人々、右に転落する人々。そして周囲には水平に回転する聖人たち。ダイナミックで躍動感溢れる構図です。人物は裸体中心。ミケランジェロが描く裸体があまりにも生々しかったので死後、ミケランジェロとの交流もあったダニエレ・ダ・ヴォルテッラ（ミケランジェロp.053参照）が雇われ、

（図2）ラファエロ・サンティ《アテネの学堂》フレスコ
Raphael Santi(Raffaello Sanzio), *The School of Athens*, 1509-1511
Apostolic Palace, Vatican
Fine Art Images, Alinari Archives, Firenze, distributed by AMF

性器の部分を覆い隠すために衣類や腰巻きを描くという事態に発展。現在システィーナ礼拝堂で鑑賞できる《最後の審判》は「腰巻」が付けられた後の作品なのです。そんなダ・ヴォルテッラは気の毒に、後々「ふんどしの画家」とあだ名を付けられてしまいました。この作業は、一五四五年のトリエント公会議（プロテスタントに対抗するための、カトリック教会内の改革運動の原動力となった）で宗教画の中のヌードを厳しく非難した直後に依頼されました。

〔ラファエロ《アテネの学堂》〕

この作品こそ、ラファエロの全作品中の頂点に立つものだと言われています。一五〇八年にローマ教皇のユリウス二世は、ヴァチカン宮殿にある四つの部屋の内装装飾をラファエロに依頼しました。この部屋の総称は「ラファエロの間」。現在は教皇庁の一部として公開されています。そのうち、この作品が描かれている部屋「署名の間」の《アテネの学堂》は「哲学」をテーマとした壁画です。古代の哲学者たちが描かれた作品ですが、その中でも一際目立つのが中心に位置する二人。古代ギリシャの哲学者、プラトンとアリストテレスです。アリストテレスはプラトンの弟子でしたが、師匠とは違った思想を持つことで、この二人はよく比較されます。

〔プラトンとアリストテレス〕

実際の絵画を、特に構図にフォーカスしながら見ていきましょう。ラファ

プラトン（Plato）	アリストテレス（Aristotle）
理想主義	現実主義
「真理は宇宙にあり（＝不可視重視）」	「真理は物質界にあり（＝可視重視）」
論理・実験的思考のみが事象の証明の必要条件	事象の証明には思考に加え、直接的観察や経験が不可欠

例）「善」についての考え方
プラトン……「善」の認識＝善人　（知識重視）
アリストテレス……「善」の認識＋「善」の実行＝善人（知識の上の、行動重視）

エロは、二人の「違い」をそれぞれのジェスチャーで表しました。プラトンは天を、アリストテレスは地を指しています。この中心人物二人を中央に配置し、左右対称で分かりやすい一点透視法を用いた構図は、前景、中景、後景と、全体にパーフェクトな調和をもたらしています。人物や彼らが身に着ける服装、しぐさや表情の全てが上品で知的な優美さを持っていて、哲学者たちの思想とこの硬派なスタイルが見事にマッチしていますね。

美術史家、ヴァザーリが語るラファエロの「人間力」

ルネサンス期に『芸術家列伝』を記したジョルジョ・ヴァザーリ。彼はラファエロについて手放しで絶賛し、アーティスティックな技術のみならず、その「人柄」にも言及しています。一般に画家は気難しく狂気じみている人が多いという先入観がある中、ラファエロは例外的に穏やかであると、その人となりを誉め称えています。

【(前略)普通ならば、長い時期にわたって、天が多くの人々にわかち授けるであろう世にも稀な才能やもろもろの美質や限りない宝の数々を、天は時に一人の人間に存分に惜しみなく授けることがある。(中略)彼は天性、謙虚な善意の人であった。そのような特性は、もって生まれた穏やかな性質に加えるに愛想の良さをもってするという、ある特別の人々の中のみときどき見られる特性だが、それはいかなる場合でも、いかなる人に対しても、気持ちがよく、好感を与えるものであった。(後略)】

(『芸術家列伝2』ジョルジョ・ヴァザーリ著、平川祐弘・小谷年司訳、白水社、二〇一六年、五十四頁)

そしてラファエロの寛容さと、多種多様な人たちと上手くやっていけた社交性について言及しています。

【（前略）ラファエルロは、芸術の友として、芸術のために多くの価値ある寄与をなしたが、存命中はわれわれに絶えず、いかにして世間の大人物とつきあうか、凡庸な人物と接するか、小人物と交渉するか、を教えてくれた。（後略）】

（『芸術家列伝2』ジョルジョ・ヴァザーリ著、平川祐弘・小谷年司訳、白水社、二〇一六年、一一九頁）

【（前略）私をとくに驚かせた異才ともいうべきものは、われらの絵画芸術においてわれわれ画家の体質とまったく異なる効果を発揮し得る力を天が彼に与え給うたことである。（中略）画工たちがラファエルロと一緒に仕事をすると、みな気分が一致しておたがいが円満に調和し、愉快に働いた、ということである。（中略）ラファエルロを見ているうちに、不愉快な気分はみな次々と消滅していった。そして卑しき考えや低俗な考えはみな脳裡から去った。（中略）そのようなことが起こり得たのは、人々がラファエルロの礼儀正しい振舞いとその芸術、とくにその良き性質のすばらしさにすっかり魅了されてしまったからである。その性質はまことに愛情に富める優しさに満ちたもので、人間ばかりでなく動物たちまでが彼になつき、彼を崇めたほどであった。（後略）】

（『芸術家列伝2』ジョルジョ・ヴァザーリ著、平川祐弘・小谷年司訳、白水社、二〇一六年、一一九〜一二〇頁）

弟子たちに愛情を注ぎ、周囲に平和をもたらし、更に動物たちにまで愛されていたと書かれていて、まるでイエス・キリストを語っているかのよう。ヴァザーリが伝記後半に述べたラファエロの「女好き」説も気になりますが、ここでは深く触れないでおきましょう。ラファエロの人気ぶりは、ヴァザーリの次の一節に凝縮されています。

【（前略）法王庁に行くときは、少なくとも五十人のお伴を連れないで家を出るようなことはけっしてなかった。（中略）ラファエルロは、要するに、画家というよりも、王侯貴族のごとく生きた人であった。それだから、おお、絵画という芸術よ、おまえはいかにも幸福であった！（後略）】
（『芸術家列伝２』ジョルジョ・ヴァザーリ著、平川祐弘・小谷年司訳、白水社、二〇一六年、一二〇頁）

ラファエロのおかげで「絵画」のランクが上がったという文章からは、画家としての才能も「人間力」も両方兼ね備えていた、誰からも愛されるラファエロという人物像が見えてきます。

三賢人が説いた「成功する画家の条件」

西洋美術史上、重要とされる文献を残した三賢人――ルネサンス期に活躍したレオン・バッティスタ・ア

Raphael was loved by animals, Pope Julius II, Leo X.

➔123

ルベルティ（一四〇四―一四七二）とジョルジョ・ヴァザーリ（一五一一―一五七四）、そして、十八世紀のジョシュア・レイノルズ（一七二三―一七九二）。彼らは成功する画家の条件についても言及しています。特定の人物の記述はありませんが、その条件はまさにラファエロが兼ね備えていた能力そのもの。そのエッセンスをご紹介しましょう。

《アルベルティ》

【（前略）もし画家たちが、これにしたがえば、彼らの絵は必ず見る人の目と魂をとらえるであろう。（中略）画家が以上のことをすっかり身につけるためには、立派な人間になり、学問に通暁することが好ましい。市民の好意を受けるには、あらゆる精励さや技術よりも、人間の善良さが役に立つ事は誰でもが承知のことであろう。（後略）】

（『絵画論 改訂新版』L．B．アルベルティ著、三輪福松訳、中央公論美術出版、二〇一一年、六十二～六十三頁）

ヒューマニスト及び建築家であったアルベルティは成功する画家の条件として、まずはリベラルアーツに精通している善良な人間であることが肝心だと書いています。画家の技術や専門性よりも、その人物のまじめさや優しさという「人間性」こそがパトロンの好意を得ると自身の絵画論に記しました。ラファエロの人柄そのものですが、これはいつの時代にも、どんな人物にも共通する内容ではないでしょうか。

《ヴァザーリ》

EPISODE.5

「人間力」という才能、ラファエロ

アカデミシャン　ヒューマニスト　美術史家

【(前略)人間は誰でも、生まれつき、本能的にそれに向いていると直感している仕事に進んで取り組むべきで、他人と競うために、天性向いていないような仕事に取り組むべきではない。そのようなことをすれば空しく労することともなり、しばしば恥もかき、失態を演ずることともなるのである。(中略)自分で最善を尽くした時は、それ以上頑張るべきではない。(中略)人それぞれ向き不向きがある以上、向かない人は、いかに頑張ろうとも、天賦の才に恵まれた人がやすやすと到達した境地にはけっして達し得ないからである。(後略)】

(『芸術家列伝2』ジョルジョ・ヴァザーリ著、平川祐弘・小谷年司訳、白水社、二〇一六年、一一五頁)

何かを手放すことで得られるオンリーワン。ラファエロは「ダ・ヴィンチやミケランジェロになること」を諦め、自分の良いところを追求してキャリアを切り開いた典型例でしたね。

《レイノルズ》

レイノルズも生徒向けに、ヴァザーリと似たことを語っています。

【（前略）存在しうる卓越性の広大な領域にみなさんの天性の能力を浪費せずに、自分の全力を揮える何か特定の道を選択して、みなさんの誰もがその道の第1人者となることです。（後略）】
（『18世紀イギリスのアカデミズム藝術思想：ジョシュア・レノルズ卿の『講話集』』ジョシュア・レノルズ著、相澤照明訳、知泉書館、二〇一七年、七十～七十一頁）

またレノイルズは講和の結びで、次のような注意喚起もしていますが、これは芸術家のみならず、現在「クリエイティブ」な仕事に携わっている人全てに参考になる言葉です。

【（前略）みなさんが努めて模倣したいと思っている人たちだけでなく、努めて喜びを与えたいと思っている人たちも厳選しなさい。（中略）見境のない過度の名声欲によって、みなさんは俗人の見方をするようになり、みなさんの様式は品位を失い、趣味は完全に堕落してしまうのです。（後略）】
（『18世紀イギリスのアカデミズム藝術思想：ジョシュア・レノルズ卿の『講話集』』ジョシュア・レノルズ著、相澤照明訳、知泉書館、二〇一七年、八十一頁）

「俗人」がもてはやすのは見慣れたもの。作家の創造性をかき立てるものはなく、作品は低俗なものになると指摘しています。今ではポピュラーな印象派やフォービズムのマティスも当時は前衛的なアートと思われていたのと同じですね。第一人者となるには、常に俗世間やライバルたちの一歩先を歩む必要があるのです。

【（前略）藝術家は低次の絵画様式に常に付随する人気という誘惑に唆されて正道を踏み外してはならないのです。（後略）】

（『18世紀イギリスのアカデミズム藝術思想：ジョシュア・レノルズ卿の『講話集』』ジョシュア・レノルズ著、相澤照明訳、知泉書館、二〇一七年、八十一頁）

EPISODE.5

「人間力」という才能、ラファエロ

自分が武器とするオンリーワンの力は何か。見極め、選択をするのは自分自身。そして その武器を持った上で、最も大切な成功への秘訣……それはラファエロが絶賛された「人間力」であると、先人たちは語っているようです。

注釈

（注1）academician。学問（芸術）の伝統尊重者、美術院会員。

ラファエロ・サンティ
《聖母子と聖人たち》油彩
Raphael Santi(Raffaello Sanzio),
Madonna and Child Enthroned with Saints,
c. 1504, The Metropolitan Museum of Art, New York

column 05

『法の精神』著者、モンテスキューが語る「美の基準」

▼女性の美しさの基準

数年前にフランスを訪れた際、ワイドショー番組に出演している司会者やゲストの女性たちに新鮮な驚きを覚えました。御年五十代頃、ヘアスタイルもメークもナチュラルで顔のシワもそのまま。しかし彼女たちには何とも言えない「魅力」がありました。海外に行くと、その「美の基準」について改めて考えさせられます。

実は、女性の美しさに関する文章を十八世紀のフランスの哲学者、モンテスキューが残しています。『法の精神』を書いた人がそんなことも論じていたとは驚きです。彼は晩年、〈百科全書〉のために「趣味論」(仏語 Essai sur le goût/英語 Essay on Taste)の執筆に取り組みました(残念ながら未完のまま逝去)。美に関する記述はその中にあります。

この未完本は大雑把に言うと「センスと美学的魅力について」のエッセイで、モンテスキューは〝je ne sais quoi〟というフレーズをサブタイトルに、人やモノの「チャーム(charm)=人を引き付ける魅力」について書いています。このフランス語の〝je ne sais quoi〟というフレーズを日本語にすると「言葉で表現できない魅力」。アメリカ人も「うまく言えないけど、○○さんって何か不思議な魅力があるよね」というニュアンスでそのまま〝je ne sais quoi〟を使います。

モンテスキューは、人には見えないチャームがあり、それは言葉にできない魅力である場合がある、と言います。チャームは「意外性」として垣間見られた時、その存在をより感じられるものであり、外見ではなく内面に存在するものだ、とも。その人の外見的第一印象がとびきりでなかったとしても、後々それをカバーするようなチャームの存在に気付くと一気に魅力が増す、と言うのです。

▼絵画における美しさとは？

次にモンテスキューは、「チャーム」を絵画の鑑賞をテーマに応用し、ラファエロとヴェネツィア派のパオロ・ヴェロネーゼ（一五二八―一五八八）を比較しています。

ここでヴェロネーゼについて少し解説を。ヴェネツィアの近くの街ヴェローナ出身で、ヴェロネーゼの本名はパオロ・カリアーリ。通称「ヴェロネーゼ」と呼ばれています。成人してから活動の場をヴェネツィアに移し、成功を収めます。数多くある名画の中でも特に有名なのが、ルーブル美術館にある宗教画《カナの婚宴》（図1）。イエス・キリストが起こした最初の奇跡（カナで開催された婚宴に招待され、そこで水をワインに変えたという新約聖書の福音書に記載されているエピソード）を、サン・ジョルジョ・マッジョーレ修道院からの依頼で巨大絵画として制作した作品です。

当時のヴェネツィアと言えば、東西との貿易などでとても裕福な国家でした。豪華絢爛な絵画がトレードマークとなっていたヴェロネーゼは、ヴェネツィアの富を絵画に反映させるのに最適な画家でした。実際に作品を見ると、聖書の物語がまるで現ヴェネツィアで繰り広げられているような錯覚に陥ります。

作品を見ても分かるように、目を引くのは圧倒的な壮観さ。豪華な舞台設定、壮麗な建築物、ラファエロの壁画に出てくる人数をはるかに超える大所帯、人物たちの高貴で華麗な装い、食卓のごちそうからフォークや爪楊枝など細部まで描き込まれた卓上。彼の真骨頂とも言うべきこの装飾的絵画を目の当たりにすれば、鑑賞者は圧倒されるでしょう。

ヴェロネーゼは、作品の良さは一目で分かるけれど、その先の深みを鑑賞者が味わうことはできないチューイングガム・タイプ。噛むほどに味が無くなっていく引き算的な絵画です。モンテスキュー曰く「外見美人」の代表です。

一方のラファエロは最初こそ期待させる要素は少ないものの、見るほどにその味わいは深まり、最終的には鑑賞者に多くの感動を与えると言っています。いわゆる足し算的「するめ」タイプですね。繰り返し見るたびに発見する意外性や「言葉にできない je ne sais quoi なチャーム」によりラファエロの魅力は増大します。モンテスキューはこれを「内面美人」と言っています。

モンテスキューは、ヴェロネーゼの絵画のきらびやかさに一瞬惹かれたとしても、実際に深い感動を与えてくれるのは、ラファエロのクリアな単純さの方だと言っているのです（p.119《アテネの学堂》参照）。

さて、サン・ジョルジョ・マッジョーレ聖堂の食堂に二〇〇年以上も掛けられていたヴェロネーゼの《カナの婚宴》ですが、一七九七年にはナポレオンによって略奪されパリに持ち込まれました。現在はルーブル美術館所蔵となっており、あの《モナ・リザ》と同じ部屋に掛けられているのがこの作品です。

ナポレオンは作品の豪華な美しさに一目ぼれをしたのでしょうか。《カナの婚宴》の反対側に掛けられているレオナルドの《モナ・リザ》がやはり、見れば見るほど内面美人タイプの作品であり、《カナの婚宴》とは対照的であるのも奇遇です。

▼変わる「美の基準」

現代に立ち返って、これから私たちの「美の基準」はどう変わっていくでしょうか？ヴェロネーゼの表面的な装飾美がもたらす一時的な快楽を重視するのか、あるいはラファエロの優しい性格が反映されている、何とも言えない永続的な魅力を重視するのか。正解があるわけではありません。

しかし確信を持って言えるのは、美を見極める力を持つことの重要性です。美はどの美術作品にも、どんな人にも宿っています。それを見極める力は、美術鑑賞をより楽しいものとしてくれるでしょう。また、他人が決めた「美の基準」に振り回されることなく生きる……そんなことにも繋がっていくものだと思います。

（図1）パオロ・ヴェロネーゼ《カナの婚宴》油彩
Paolo Veronese, *Wedding Feast at Cana*, 1563
Photo (C) RMN-Grand Palais (musée du Louvre), Michel Urtado, distributed by AMF

EPISODE

6

登場人物

クロード・モネ

生没年 1840–1926年　**出身地** フランス

代表作 《印象・日の出》《日傘の女》《ひなげし》《積みわら》《睡蓮》

EPISODE 6

仁義なきビジネスマン

恩ある画商への、モネの仕打ち

作家と画商（画廊）の関係＝現代でいうアーティストとギャラリスト（ギャラリー）の関係というのは、何とも複雑なものです。現代の欧米では、アーティストがどこかのギャラリーに所属することになれば、契約によっては他のギャラリーとの取引は制限されてしまうケースもあります。

このエピソード6では、およそ百年前の十九世紀へと時代を遡り、当時のアートビジネスの実像を掘り下げてみたいと思います。十九世紀当時、「現代アーティスト」であったクロード・モネと、「現代アート」を扱う先駆けとなった画商ポール・デュラン＝リュエル。アート界における有能なビジネスマンとも称されるこの二人にフォーカスし、当時の作家と画商の関係性を読み解いていきます。まずは印象派の成り立ちと、二人が活躍した時代背景を見てみましょう。

印象派とは

「印象派」と聞くと、あなたはどのような光景を思い浮かべますか？「陽のあたる草原、オシャレなパリの街角」。ほとんどの方が明るくさわやかなイメージを抱くと思います。日本のみならず、世界各国万人に愛され続けているモネ、ルノアール、ドガ——印象派の巨匠と言われる彼らの作品が大衆にアピールするのは、何と言っても主題が宗教に関わりがないため、極めて感覚的に鑑賞そのものを楽しめるからかもしれません。しかし、このように現代では大衆に広く親しまれている印象派作品も、当時は「斬新」な作品とみなされていました。

〔酷評されたモネの《印象、日の出》〕

モネは一八七四年の第一回目の印象派展に《印象、日の出》という作品を出品しました。当時のフランスの批評家、ルイ・ルロワは、《印象、日の出》（図1）についてこのように語っています。

【（前略）「印象か、そうだと思ったよ。私が印象を受けたからには、そこには何らかの印象があるに違いないと思っていた。…なんと自由きまなんだろう！未完成の壁紙だってこの海の景色よりは完成されているだろう」。ルイ・ルロワ『ル・シャリヴァリ』4月25日（後略）】

（『印象派全史1863――今日まで』バーナード・デンバー著、松村恵理訳、池上忠治監訳、日本経済新聞社、一九九四年、八十八頁）

巨匠モネの作品の比較対象が壁紙とは！しかも、

（図1）クロード・モネ《印象、日の出》油彩
Claude Monet, *Impression, Sunrise*, 1872, Photo (C) RMN-Grand Palais, image RMN-GP, distributed by AMF

表題の「印象」という言葉を皮肉った嘲笑的ともとれる酷評ぶり。ルロワのこのコメントがきっかけで、「芸術家匿名協会」と名乗っていた彼らはいつしか「印象派」と呼ばれるようになりました。モネの《印象、日の出》がグループのネーミングの由来となったのは、有名な話ですね。

このようにその時代のコンテキスト《文脈》を考えると、アート鑑賞はより楽しくなります。今私たちが抱く感想は必ずしも当時の人たちと同じではないという意識を持つと、より深く作品を理解することができます。

〔制約からの解放〕

当初、印象派がフランスのアート界に受け入れられなかった理由は、彼らの作品が当時のアート界においては「前衛的」すぎたからです。では、「前衛的」と評された理由はどこにあったのでしょう。

テーマや画風などにおける当時の絵画の主流は、さまざまな「制約」があったアカデミックなものでした。この流れに対抗した印象派は、「空は青で描くべき」といったような絵画のお決まりのフォーマットから脱却し、「見たものをそのまま描く」表現を進化させ、絵画を「自由」なものへ解放したのです。モネの場合は、屋外で制作し素早く描くという技法で、自然が見せる束の間の景色をキャンバスに捉えました。しっかり描き込むスタイルとは対照的な、目に見える筆のストロークが特徴です。作品のテーマも宗教画や神話画といったストーリーがあ

印象派 (Impressionists)	伝統的絵画 (Traditional Painting=French Academy)
❶瞬間の効果を捉えるために、筆跡をはっきりと残した	❶絵に筆の跡を残さず、絵の表面は滑らか
❷屋外で作品を描いた	❷おおむね屋内で作品を描いた
❸中流〜ブルジョア階級の生活や街並み、家庭や風景、カフェやおしゃれな女性たち。ストーリーを伝えることはほとんどなく、対象がいかに見えるかを示した	❸絵画にはモラルやストーリーが必要とされ、アカデミーにはジャンルのヒエラルキーが存在した。歴史画（宗教画や神話画を含む）は頂点、肖像画はその次、風景画・静物画・風俗画は底辺とみなされた
❹独自で展覧会を開催した	❹サロンでの展覧会が独占的に開催された

❶制作技法（painting technique）❷制作場所（painting site）
❸テーマ（subject matter）❹展示会主催者、会場（exhibition organizers/venue）

恩ある画商への、モネの仕打ち

るものではなく、身近な日常や自然が取り上げられることが多かったのもまた、印象派の特徴の一つです。

印象派の「斬新」さは絵画技法より展示方法にあり

ルネサンス期より続いている伝統的な絵画手法——フランスにおけるアカデミックな絵画に挑戦状を突き付けたモネ、ルノアールら印象派の面々。その「斬新」さは絵画技法というより、展示方法にありました。一八七四年に彼らが主体となって開催した第一回目の印象派展。この展覧会は美術史上において、大変重要な出来事でした。彼らの目的は、絵画技法の新しいスタイルの積極的プロモーションではなく、サロンの制約から離れて「自由に展示する」という、その「機会」と「場」を創出することにありました。これは彼らにとって何よりも重要なことでした。それはなぜでしょうか？ 印象派が誕生するまで、フランスの美術界における展覧会と言えば、審査のある公募展のような、王立絵画彫刻アカデミー主催の「サロン」のみでした。このサロンに出品が許されない画家はパトロンを得ることも難しく、成功を収めるのは困難な時代だったのです。印象派のメンバーは、審査に通らないと展示されない「サロン」に対抗して、参加費さえ払えば誰でも展示できる展覧会を目指したのです。

とは言え、十七世紀に始まったサロンの影響力はあまりにも強力だったので、第一回印象派展が開催された一八七四年以降も、モネやルノアールは仲間を裏切り、サロンへの出品もしていました。サロンのお墨付きがない作品は売れないのです。今の日本で例えて言うと、サロン＝日展のイメージです。また、公的・商業的という違いはありますが、有名デパートとも言えるかもしれません。買い手はあまり知られていないギャラリーからの作品購入は躊躇するものの、「有名デパート」のバックアップがある作家・作品であれば安心して購入する。つまり、作品購入時に頼るべきは買い手自身の審美眼ではなく、日展やデパートが持つ「保証」や「信頼」である、と言ったところでしょうか。

このように、「サロン」の影響力から逃れるために自ら「機会」と「場」を作り出した彼らでしたが、当時は

EPISODE.6

恩ある画商への、モネの仕打ち

今のように普通にレンタル・ギャラリーや「alternative space= 多目的スペース」がありませんでしたので、自分たちで展覧会を企画するということは大胆な行為であったに違いありません。

作家と画商

次は作家と画商の関係性について。今では世界中にコマーシャル・ギャラリー、いわゆる「画廊」が多く存在しています。ギャラリーは作家の作品を展示し、販売します。一方、印象派が活躍した十九世紀のコマーシャル・ギャラリー事情は、今とは少々異なっていました。

〔印象派の救世主デュラン＝リュエルとモネの出会い〕

納得のいく評価を得られないまま作品制作を続ける中、モネは印象派の救世主となる画商のデュラン＝リュエルに出会います。プロシア対フランスの普仏戦争中にロンドンに移住していたモネは、志を同じくする画家ドービニーにデュラン＝リュエルを紹介されました。既にロンドンで画廊を開いていたデュラン＝リュエル。彼はモネやピサロの作品の展示を英断します。パリに帰国後もその関係は続き、彼は精力的にモネら印象派メンバーのプロモーションを敢行していきました。デュラン＝リュエルという強力なサポーターがいなければ印象派も今のような人気は獲得できなかったでしょうし、モネが晩年、心の趣くままに睡蓮を描いてアート界のスーパースターになれたのもデュラン＝リュエルのおかげと言えるでしょう。

EPISODE.6

恩ある画商への、モネの仕打ち

〈狂気か英知か――
リスクテーカー《危険を冒す人》な敏腕画商、デュラン＝リュエル〉

一方、画商のデュラン＝リュエルは一八七四年の第一回印象派展以前から、その手腕をいかんなく発揮していました。パリの美術商だった父親の仕事を引き継ぎ、一八六〇年前後には、既にクールベやコローといったリアリズムやバルビゾン派の画家たちの作品を扱い始めたデュラン＝リュエル。印象派がまだ世間から不本意な評価を受けていた時代に、彼は率先してモネ、ピサロ、ドガやルノアールの作品を買い上げ、金銭的にもバックアップするなど、彼らの良き支持者となっていきます。十九世紀、フランスには既に画廊が存在していましたが、デュラン＝リュエルのようなリスクテーカーは少数派でした。

先見の明があった彼はその後、印象派を成功に導くため精力的に活動し、ロンドンやブリュッセルのみならず、後にはアメリカにニューヨーク支店までも開設することになります。デュラン＝リュエルはフランス国内はもちろん、いち早くアメリカのマーケットに目を付けた最初のフランス人の画商であるとも言われています。本国のフランスを凌ぎ、アメリカで印象派は大人気となります（カサットp.092参照）。

八十九歳になったデュラン＝リュエルは「私の狂気も実は英知だった」と語っています。晩年に印象派の人気で金銭的成功を手にしましたが、自ら「狂気」と言うほどですから、相当な努力と献身を要したことでしょう。しかしこれだけ必死に印象派の作品価値向上に力を注ぎ、作家たちをあらゆる方法で援助したにもかかわらず、当の作家たちからは意外に感謝されていなかったという、いかにも残念な事実が存在します。

デュラン＝リュエルが作品を買った作家たち

モネの成功とデュラン＝リュエルの功績

一八七〇年代から一八八〇年代においては、まだ売れっ子画家とはほど遠いモネでしたが、一八九〇年代は彼のターニング・ポイントとなりました。画商の尽力もあって、連作の発表を契機に作品の売れ行きが好転していったのです。

一八九一年、モネはデュラン＝リュエルの画廊で連作「積みわら」を発表します。そしてその十五点ほどの「積みわら」作品はたったの数日間で完売したと言われています。作品購入者の多くはアメリカ人でした。これは画商の戦略が当たりました。デュラン＝リュエルは一八八六年にアメリカで印象派展を開催し、その成功を足掛かりに一八八八年には画廊のニューヨーク支店を設立、本格的にアメリカのマーケットへの進出を図りました。アメリカでの人気なしには、印象派も時代を生き抜くのは困難だったかもしれません。デュラン＝リュエルの恩恵に浴し「積みわら」シリーズで成功を収めたモネ。一八九〇年代は経済的に安定し、画家としての円熟期を迎える晩年へと向かいます。

フランスから
アメリカへ渡ったデュラン＝リュエル

【モネの人物像】

一人の画家としてのモネは、「画家としての信念はぶれなかった」という頑固な一面も持ち合わせていました。

→139

EPISODE.6

恩ある画商への、モネの仕打ち

印象派のグループ内で、おそらくモネは一番「印象派」的な画風を最初から最後まで貫き通した画家でした。ピサロやルノアールは実験的にさまざまな画風を試みています。それも画家として必要なことではありますが、長いキャリアにおいて決してぶれることのなかったモネもまた、偉大だったと言えます。

モネはとりわけ「睡蓮」のシリーズが知られています。その連作は彼の八十六年という人生において、後期に描いたものです。ある程度の画家としての地位を確立させた後の作品ですね。晩年の抽象画のような「睡蓮」を描くに至ったのは、モネが白内障にかかってよく見えなかったからだ……などさまざまな推測がありますが、表現方法における自然な進化だったのではないでしょうか。

【(前略) 気難しい性格でかつ時には厳しい面を持ちつつも、彼は奮闘している若き画家に対しては非常に優しく接してくれました。(中略) ある時、このように話してくれたことを思い出します。「外に行って描く時は、自分の目の前にあるオブジェ――木々であったり、家、野原などは忘れるようにしなさい。単に、小さな四角いブルーがここにあり、あそこには長細いピンク、ここには黄色の筋があるだけです。自分の目

クロード・モネ《睡蓮の池と日本の橋》油彩

Claude Monet, *The Japanese Footbridge*, 1899, National Gallery of Art, Washington DC

に映るその通りの色、形で描きなさい。自分の純粋な印象をそのままに」（後略）】
(Martindale, Meredith, "Lilla Cabot Perry, An American Impressionist", The National Museum of Women in the Arts, Washington D.C. 1990, P.116, 宮本由紀訳)

リラ・キャボット・ペリー《秋の午後、ジヴェルニー》油彩
Lilla Cabot Perry, *Autumn Afternoon, Giverny*, c.1905–1909
Terra Foundation for American Art, Daniel J. Terra Collection, 1999.106
自分の芸術について多くは語らなかったモネだが、モネの有名なアート語録はリラの回想録にある。リラは岡倉天心の助けを得て、日本で個展も開催したことのあるユニークな画家。

夏になるとジヴェルニーで過ごしていたアメリカ人の画家、リラ・キャボット・ペリーは回想録で、モネからのアドバイスについてこのように記しています。モネは木や空や海は「こうあるべき」という先入観を取り払って描くことにこだわり、キャンバスに向かっていました。

モネのビジネスレター

印象派グループのメンバーの多くはプチ・ブルジョア階級出身でしたが、彼らと比べるとモネは商人の父を持つ比較的地味な家庭に育ちました。しかし、やり手のビジネスマンという一面も持ち合わせており、生きているうちに成功を収めた数少ない画家の一人とな

EPISODE.6

恩ある画商への、モネの仕打ち

りました。しかし、彼のビジネススタイルは決してフェアだったとは言えません。現代のようなビジネススタイルは過去に事例がなかったからか、モネを筆頭に、印象派のメンバーは比較的自由に画廊を通さず作品を売っていたようです。

　経済的余裕が画家としての自信過剰に繋がったのか、「積みわら」の成功の直後、モネがデュラン＝リュエルに宛てた手紙を読むと何とも言えない気持ちにさせられます。以下に紹介する一八九一年六月の手紙は、ポール・デュラン＝リュエルが不在の時に、同じ画廊で働くポールの息子ジョセフに宛ててモネがしたためたものです。この手紙からは、人気者となったモネの自宅に訪ねてくるコレクター相手に、画商を通さず画家本人が直接作品を販売する様子が読みとれます。

【(前略) わたしの家に来る人に、それがアメリカ人だろうと誰だろうと、彼等に売るものは何もないと告げることなど私にはとうていできないと言わせていただきます。大切なのは私があなた方に損をお掛けしないことでしょう。(中略) コレクターが私から絵

クロード・モネ《積みわら（夏の終わり）》油彩
Claude Monet, *Stacks of Wheat (End of Summer)*, 1890-1891
Art Institute of Chicago

EPISODE.6

恩ある画商への、モネの仕打ち

を安く買おうとしても、私はしばしばあなた方がつけるよりも高い値段を告げています。時々スケッチを値引きした値段で売ることはありますが、それは芸術家仲間や友人に対してです。(後略)】

(『印象派全史1863――今日まで』バーナード・デンバー著、隠岐由紀子訳、池上忠治監訳、日本経済新聞社、一九九四年、一八三頁)

いやはやこれは本当に、売れなかった時代に支えてくれた恩人へ宛てたものなのでしょうか。「画廊を通さない、安価で売る」という当時の慣習は、例え売り先がアーティスト仲間や友人であっても現代では考えにくいことです。

画家から直接安く買えるのであれば、わざわざ画廊から買う必要性はなくなってしまいます。更に「あなたが付ける金額より高値を請求」とあります。そうすることによって自分の価値を維持することはできますし、画廊に対して「あなたが付けた定価より安く売ることはしていませんよ」と義理立てしていることを主張していますが、ここで気になるのは、直販によって生じた売り上げは画家の独占が至極当然の体であり、画廊へのコミッション(手数料)への言及は見受けられないことです。まだギャラリーのシステムが確立していない時代のことですから現代の欧米と比較するのは無理があるかもしれませんが、それにしても恩人への感謝が感じられない内容です。この手紙を受け取ったデュラン＝リュエルの心情やいかに……。

更に、モネは同年十月の手紙でこのように書いています。

【(前略)この家を完全に購入するため今月25日までに私が必要としている金額2万フランを私に送る策を講じていただきたいのです。(中略)しかし、もし私が自分で出向けない場合、息子を派遣します。もしくはあなたご自身が次の25日の日曜日にお金を持ってきて下さると助かります。(中略)いずれにしても、私があなたにおすがりできるかどうかを何らかの手段で私に伝えてくれるようなお言葉をお待ちします。(中略)ヴァラドン氏が3日前に来て数点の絵を選びました。しかし驚かれることはありません。まだあなたのための作品が沢山ありますし、あなたがお売りになりたいとして印をつけておられたものは別に取って置きました。最後に、あなたが間もなく出発されなければならないのでしたら、真っ先にここにくる時間を調整して下さるようお願いいします。（後略）】

（『印象派全史1863——今日まで』バーナード・デンバー著、隠岐由紀子訳、池上忠治監訳、日本経済新聞社、一九九四年、一八三頁）

モネはこれを書いた時、既に「睡蓮」の連作を誕生させた土地「ジヴェルニー」に移り住んでいます。少し稼いではその近隣の土地を買い、時間をかけて庭を拡張していきました。この手紙の時点では、まだ家のローンが残っていたということですね。支払い期限があって大変なのは分かりますが、お世話になったデュラン=リュエルを呼びつけてまで作品代金徴収とは……。最後に付け加えた嫌味とも取れる、他の画廊との取引の話もやるせない気持ちになります。現代ではどこかのギャラリーの専属になると他のギャラリーとの取引はできない場合もありますので、当時はまだ作家のビジネスにおける win-win の意識が非常に薄かったことが分かります。

モネは優秀な画家であったと同時に、クールで有能なセールスマンでもあったのです。

クロード・モネ《散歩、日傘をさす女》油彩
Claude Monet, *Woman with a Parasol - Madame Monet and Her Son*, 1875, National Gallery of Art, Washington DC

column 06

現代のギャラリー事情

ギャラリーの収益――買取ベースか売上ベースか

デュラン＝リュエルは作品を作家から買い取って、在庫として持っていました。一八七三年に彼は在庫三〇〇点の作品を複製版画化し、これに目録を添付した全三巻を顧客に渡していました。印象派も当時は「現代アート」。生きている作家の作品を、しかも売れるかどうか分からないものを次々と購入したデュラン・リュエルはまさに勇気ある人物でした。モネが売れ始めた一八九一年から一九二二年までの間に彼は、合計約一二、〇〇〇点の印象派の作品を買ったとされています。その内一〇〇〇点はモネ、一五〇〇点はルノアール、四〇〇点はドガ、などなど(*)。

現代の欧米のギャラリーでこの「買取」という方法を取っているところはオールド・マスターや亡き画家の作品を扱うギャラリーくらいです。ほとんどのギャラリーは存命の作家の作品を扱っており、売り上げは作品が売れるごとに作家との間で分配します。作家とギャラリー双方によりあらかじめ取り決めたパーセンテージで分配した金額が各々の収益となるシステムです。売れなければその作品は作家の元へ返るので、ギャラリー的にはリスクは少なくなります。とは言え、ギャラリーは個展を企画する立場であり、ある程度の販売量がないと採算ベースにのらないので、売れずに作品を返すというのも彼らとしてはできるだけ避けたいことではあります。いずれにせよアートに対する情熱がなければできない商売です。

企画展とは

デュラン＝リュエルは、モネを筆頭に印象派のメンバーから買い取った作品で積極的に「個展」や「グループ展」を開催していました。他方、現代に目を向けると、一般的なギャラリーは売り上げベースのシステムを採用しており、ギャラリーと作家の取り分比率は半々のところがほとんどです。稀にギャラリー六、作家四のところもあります。

あまりアートに馴染みのない方に話すと「ギャラリーってそんなに取るの!?」と驚かれます。個人的な話ですが、日米の作家とギャラリーの架け橋的メディエーターの仕事もしている者としては、その驚きが逆に驚きだったりします。ギャラリーの経費――家賃、企画展に関わる経費、作家のプロモーションにかける経費、人件費など一体どれだけのお金が動くのでしょう。もちろん作家側にも時間と労力、材料費やそれまでの経験など、プライスレスな部分もあると思います。しかしギャラリーは売れるかどうか不確実な部分も含め常にリスクを抱えて商売をしていることを考慮すると、これは当然の比率なのではないでしょうか。企画展は、作家にとってはビジネスというより夢の実現という側面の方が大きいかもしれません。ですが、ギャラリー側にとってはビジネスそのもの。理想論だけでは成り立たないところがあります。

付け加えておくと、この「企画展」という言葉は日本にしか存在しません。欧米のコマーシャル・ギャラリーでの個展やグループ展のほとんどは「企画展」なので、わざわざ「企画展」と銘を打つ必要がないのです。日本の場合はレンタル・ギャラリー（貸画廊）があるので、企画なのかレンタルなのか（注）を区別するため、「企画展」という呼称が生まれました。

▼作家とギャラリーの契約

現代のアメリカでは、広いアトリエを持つ作家はギャラリーでの展覧会以外に〝Studio Sale〟というものを作家本人が行い、自分の顧客に直売します。その際も、普段自分が所属（＝契約）しているギャラリーがあればそこへ売上の何割かは渡すような仕組みになっています。先の手紙の中でモネが行っていた作品の直売も、形態においてはこの〝Studio Sale〟です。また、アトリエを解放して展示を行っていない期間でも、個人的に買いたいと言ってくる作家の知人やコレクターはいます。作家にとってはとても励みになる嬉しい出来事です。しかしこの場合もギャラリーを通すのが一般的です。

以前、日本在住の知人から、私の友人であるアメリカ人作家の作品を買いたいので間に入ってと言われたことがあります。作家の友人に話すと「ギャラリーを通して」と指示がありました。個人的に済ませるのではなく、ギャラリーを通す配慮にプロ意識を感じました。するとギャラリーから、間を取り持った私にまで二〇パーセントのコミッション（手数料）の支払いの提示があったのです。友人間のことなので要らない、と言っても受け入れてくれません。二〇パーセントは結構大きな金額です。それを敢えて紹介者に渡す仕組みがあるのは、それだけ「紹介者によって成り立っているビジネス」という認識がアメリカのアート業界全体に浸透しているという証でもあります。関わる人全員が win-win になる構図がしっかりと確立されている点、さすがアメリカ的！と感じ入りました。

対照的に日本の場合は、相変わらずモネの時代のビジネス習慣の名残があり、その辺りのシステム構築が立ち遅れていて、全ては作家のビジネスモラルに委ねられています。また日本においてアートは、作家にとってもギャラリーにとっても、アート・ファンにとっても、ボランティアになってしまうケースが多くビジネスとして成り立たせるのが大変です。全体的な意識改革が必要な時代に入ってきていると思います。しかし一方で、近年はSNSの普及で、作家とコレクターが直に繋がることもありますので、ギャラリーの役割も以前とは少しずつ変わってきているのかもしれません。

注釈

（注）企画：販売目的でギャラリーが展示の経費を持つ。作品が売れたらマージンが発生する。レンタル：作家の展示目的。作家がギャラリーにレンタル料を支払って展示する。

参考文献

（＊）Patry, Sylvie (edit), “Inventing Impressionism: Paul Durand-Ruel and the Modern Art Market”, National Gallery London, 2015

EPISODE

7

登場人物

主人公
ティソ
画家

キャサリン
恋人

ジェームズ・ティソ

生没年 1836–1902年　**出身地** フランス

代表作《日本の工芸品を眺める娘たち》「キリストの生涯」シリーズ

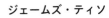

EPISODE 7

ファッショナブル絵画から宗教画へ

ジェームズ・ティソの華麗なる転身

雑誌

美術好きの皆さんも、宗教画と聞くとちょっと難しそうなイメージを持ちませんか? エピソード7では、華やかなファッション絵画の世界から一転、晩年はスピリチュアルな宗教画の世界へ走ったジェームズ・ティソを取り上げます。彼の目を通して、美術と宗教画について考えてみましょう。

十九世紀フランスとイギリスの社交界を華やかに描いて名を馳せ、「無難に美しい絵画を描く」画家というイメージの強いティソ。ファッショナブルな女性たちを中心に描いていましたが、晩年、一枚の型破りな宗教画を制作します。《キリストの磔刑》(図1)です。キリストの生涯を何百枚もの絵画を通して描いたシリーズのうちの一枚です。

型破りな宗教画《キリストの磔刑》

ティソの時代に宗教画を描く画家たちは、イタリアの盛期ルネサンス(十五~十六世紀)やバロック(十七世紀)の時代に描かれた名画(オールド・マスター絵画)より学び、制作をするアーティストが多かったのですが、ティソの宗教画は視点が独創的で心に訴えかけてくるものがあり印象に残ります。

例えば、ルネサンス美術の先駆けとなったピエトロ・ロレンツェッティの《キリストの磔刑》(図2)とティソを比べてみましょう。ロレンツェッティのものは盛期ルネサンスより少し早いですが、宗教画の典型と言える作品です。キリストを真ん中に配置し、両側に他の罪人を描く左右対称の構図となっており、タイトルを見なくても何のシーンなのかが一目瞭然です。またキリストの頭上には、罪状(ラテン語)の頭文字INRI(ユダヤ人の王、ナザレのイエス)が表示されており、悲しむ聖母やイエスを捕らえた兵士など、「お決まり」のシンボルや登場人物が分かりやすく描かれています。キリスト及び両側の罪人たちは痛々しく表現されており、鑑賞者である私たちにもその悲愴感は伝わってきます。

しかし、ティソの作品はどうでしょう。「磔刑」というタイトルを見なければ、一体何のシーンなのか考えてしまいます。「磔刑の場面だ」と言われても、ロレンツェッティの構図を見慣れている人はついつい「十字架」がどこにあるのか探してしまうでしょう。しかし、ティソの絵に十字架は描き込まれていません。

実は絵の中の人物たちが見上げた先に、十字架に掛けられたキリストがいるのです。つまり、絵画の前に立った鑑賞者がキリストの視点と一体化し、周囲を見渡し、視線を一身に集める構図となっているのです。私たち鑑賞者自身がイエスになるという奇抜なものでした。キリストの身体の描写は釘打ちされ流血した自身の足先のみ。その真下に杭にすがるようにして祈るマグ

(図1) ジェームズ・ティソ《キリストの磔刑》不透明水彩
James Tissot, *What Our Lord Saw from the Cross*, 1886-1894
Brooklyn Museum (#1)

ダラのマリア、少し後ろに聖母マリア（後ろの三人グループの真ん中）とヨハネ（向かって左、白いマント姿）。更に、周囲に集まった人々がパノラマ状に描かれています。鑑賞者にイエスの苦悩と苦痛がよりリアルに迫るゆえんは、この大胆な構図によるところが大きいと言えるでしょう。「キリストの死と真から対峙せよ」とでも言っているような、画家からの強烈なメッセージが感じられます。

教会や宗教団体が主な注文主であった十四世紀に活躍したロレンツェッティと、印象派誕生後の十九世紀末「近代」のティソを完全に同じ土俵の上で比較することはできませんが、十九世紀末〜二十世紀初頭にかけて宗教画を熱心に描く画家自体が少なくなってきている中で、ティソがここまで宗教画に夢中になったことに他の画家とは異なる何かを感じます。何がティソにこのような絵を描かせたのでしょうか？

一つには、十九世紀に流行ったエルネスト・ルナンによる『イエスの伝記』（一八六三年出版）がきっかけになったと考えられます。宗教史家のルナンは、新約聖書の福音書に記載されている、イエスが行ったとされる全ての「奇跡」を排除し、イエスを一人の人間としてこの伝記を書いたため、当時、一大論争を巻き起こしました。

（図2）ピエトロ・ロレンツェッティ《キリストの磔刑》テンペラと金箔
Pietro Lorenzetti, *The Crucifixion*, 1340
The Metropolitan Museum of Art, New York

（図３）ジャン＝レオン・ジェローム《キリストの磔刑》油彩
Jean-Léon Gérôme, *The Crucifixion*, 1867
Photo (C) RMN-Grand Palais (musée d'Orsay), Franck Raux, distributed by AMF

ティソはこの「人としてのキリスト」に注目して描きました。また、同じく磔刑のシーンを当時描いたジャン＝レオン・ジェローム（図３）もこの本の影響を受けたのではないかと推測されます。ティソの作品の二十数年前のものです。元々、ジェロームは中東や北アフリカを含むオリエントをモチーフとする作品で知られている画家でした。その彼が描く磔刑もティソ同様に、十字架そのものが画面の中に登場しない絵画となっているのです。作品の左側を歩く列の人々の顔の表情と視線を辿り、ようやく鑑賞者は画面右手の影が何を意味するのかが理解できるのです。三本の十字架が落とす影だと、少し時間が経ってからハッとする構図となっています。

ジェロームもティソも絵画の構図の力を使うことにより、ルナンが伝記で描いた「人としてのキリスト」と、彼が味わった受難をよりリアルに、私たちに体験してもらおうとしたのではないでしょうか。

とは言えティソは、ルナンによる伝記をきっかけとした、キリスト教の再ブームに乗ろうという安易な考えから宗教画家へ転身したのでしょうか。彼は新約聖書を元にした「キリストの生涯」と、後に取り組んだ「旧約聖書」のシリーズを、亡くなる年まで合計十六年間もひたすら描き続けました。

ファッション画家だったティソが宗教画家へ転身したもう一つの理由や、その後の宗教画家としての成功など、彼の人生の軌跡を見ていきましょう。

華やかなキャリア——フランスからイギリスへ

フランス人でありながら画家名が「ジェームズ」・ティソとは、何とも不思議に感じます。本名はジャック＝ジョセフ・ティソ。若い頃に友人の勧めで、英国風に「ジェームズ」に変えたと言われています。この友人は、ロンドンとパリを行き来していたアメリカ人画家、ジェームズ・マクニール・ホイッスラーだったという説もあります。この改名は、ティソが密かに抱いていたイギリスのアート界への憧れを象徴しているかのようでもあり、将来彼がパリからロンドンへと移住する暗示にも思えます。

〔パリでの人気〕

一八三六年、フランスの港町ナントにティソは生まれました。ナントはテキスタイル産業が盛んな町で、父親は繊維商、母親は帽子職人と、両親共にその業界に携わっていました。このような幼少期の環境が、彼の初期作品のキーポイントである「洋服」に対する豊富な知識や「ファッション」への高い感度を築いたのでしょう。

《日本の工芸品を眺める娘たち(Young Women Looking at Japanese Objects)》は、当時のジャポニスムを意識した作品です。ファッショナブルな女性、そして流行りの日本の美術品を取り込んだこの作品は、多くのパトロンを魅了したに違いありません。ティソは友人のホイッスラーに日本美術を紹介され、骨董品や小道具を収集し始めます。その収集熱もかなり高かったようで、この《日本の工芸品を眺める娘たち》に出てくるモノはほとんどティソ本人の所有物だと言われています。

フランスにおけるジャポニスムは、異国趣味的なものと美学的なものに大別されますが、ティソのこの時期の作品はどちらかというと前者の印象が強く、浮世絵などがもたらした美学上の影響は後期の作品にならないと現れません。

前者の「異国趣味的なもの」と言うのは、この《日本の工芸品を眺める娘たち》という作品に見られるように、外国、

EPISODE.7

ジェームズ・ティソの華麗なる転身

特に遠いアジアの国の風物に憧れを持ち、そのセンスを楽しむことを言いますが、ティソもまさに日本の風物に趣きを感じながら描いたのだと思われます。もちろん「マーケット」あってのジャポニスム作品ですので、この手の作品に興味を持つ富裕層を狙ったに違いありません。一方、後者の「美学的効果をもたらしたジャポニスム」と言うのは日本の工芸品などのグッズを離れた、芸術上における影響のことを言います。日本の浮世絵や水墨画を始め、あらゆる日本の芸術が当時のフランス及び欧州の芸術家たちに多大な影響を与えました。絵画に関して言うと、それは色彩やモチーフ、構図やデザインだったりします。例えば、冒頭で紹介した《キリストの磔刑》はティソ晩年の作品であり、まさに広重や北斎の浮世絵の緊迫感ある大胆な構図からの影響を強く感じさせます。

いずれにせよ、最新の流行を詰め込み、当時を再現できるほどのディテールに富む画風で描かれたこのような作品は華やかさや優美さを放ち、現代の私たち鑑賞者をも存分に楽しませてくれます。ティソはパリにおける人気作家となって経済的成功を収め、豪邸を構えるまでになりました。

〔イギリスへ〕

このようにフランスで大きな成功を収めたティソですが、その後ロンドンに移住することになります。一八六〇年代のフランスのアーティストにとって、イギリスは芸術における自由度が高く感じられる魅力的な地でした。ティソや彼のアーティスト仲間から見たイギリスにはフランスのような保守的な空気が流れておらず、少なくともフランスよりは思うままに独自のスタイルを追求し、お決まりのルールに無理やり表現をはめ込むことはしていないように見えたのです。しかし憧れだけで成功を手放し、新たな土地で一からやり直すというのは、それ相応の覚悟がいったことは確か

EPISODE.7

ジェームズ・ティソの華麗なる転身

でしょう。更に一八七〇年にプロシア対フランスの普仏戦争が勃発し、これがティソをロンドンへと向かわせた大きな要因となりました。戦争の講和に反対したパリ市民が立ち上がって設立させた自治政権、パリ・コミューン（注1）にティソも関わっており、その後この自治政権が崩壊してロンドンへ逃れたのです。一八七一年六月のことでした。

幸いにもティソはロンドンで友人たちに温かく迎えられ、援助を受けました。『ヴァニティ・フェア』誌の編集者のトーマス・ギブソン・ボウルズ宅にしばらく身を寄せ、雑誌向けのカリカチュアのオファーをボウルズから受けることで仕事を得ていました。そこから肖像画なども手掛けるようになり、次第にパトロンを獲得していきます。

十八世紀イギリスの美術界では、ウィリアム・ホガースに代表されるようにわかりやすい「ストーリー」があるような作品が人気でした。十九世紀はその流れでラファエル前派の画家たちが神話、伝説、文学や宗教を題材として「ストーリー」を描いていたのですが、ティソの場合はどうだったのでしょうか？《カルカッタ号の甲板で（The Gallery of H.M.S. Calcutta)》（図4）を見てましょう。船上の三人を描いたこの作品は、一見ドレスの美しい美人画で男性は添え物的に見えるかもしれません。しかし見れば見るほど謎めいているのです。ティソはしばしば、女性二人に男性一人という絵画を描いていますが、その三人の関係性ははっきりしないものがほとんどです。この作品は、女性が二人で会話していたところに男性がやってきた場面を切り取ったようです。男性が結婚指輪を

（図4）ジェームズ・ティソ《カルカッタ号の甲板で》油彩
James Tissot, *The Gallery of HMS Calcutta (Portsmouth)*, c 1876, Tate, UK

はめていることから、ブルーのリボンのドレスの女性と男性は夫婦ではないかと思われます。一方、黄色のリボンのドレスを身に着けた女性は椅子から腰を上げたばかりに見え、まるでその男性の視線をわざと遮るためにファンで顔を隠しているかのようです。彼と実は関係があるのでしょうか。ファンの使い方によって色々なシンボリズムがあるようですが一説によると、左耳をファンで隠すという行為は「私たちの秘密をばらさないで」という意味もあるようです（＊1）。

全てが謎に包まれているティソの作品は想像力をかきたてます。ホガースのような作品を通してのメッセージが分かりやすく描写されているものではなく、ティソの作品はまるで鑑賞者を混乱させるために、美しさと曖昧さの両面をもって現代のロマンスを表現しているかのようです。一見すると優美、熟視するとブラック、というのがティソ独特の世界観でした。しばらく見て、考えて、ようやく見えてくるようなティソの作品——この特徴はファッショナブル絵画の頃から既に存在していたのです。

転機の訪れ

〔キャサリン・ニュートンとの恋〕

《カルカッタ号の甲板で》を描いた頃、ティソは既にイギリスでも成功を収めていました。そして時期は不明ですが、キャサリン・ニュートンというアイルランド人の離婚歴のある女性と一緒に暮らし始めました。結婚という形を取らなかったのは、カトリックという宗教上の理由だったのかもしれませんし、以前キャサリンが婚約者の住むインドへの旅の途中に船上で不倫をし、その人の子供を授かってしまったという過去をティソがどこかの時点で知ってしまったからなのかもしれません。いずれにせよ当時女性が離婚をするということは、自分の身分を落とすリスクがありました。

そのようなドラマチックな過去を持つキャサリンに夢中だったティソ。その後のほとんどの作品でキャサリンをモデルにした人物を登場させ、彼女の美貌を称え続けました。しかし幸せな時は短く、一八八二年にキャサリンは二十八歳で病死してしまいます。ティソは悲しみにくれ、忘れられない彼女に再び会いたいと願ったのか、しまいには降霊術に興味を持つようになり、その会合にも参加しました。亡きキャサリンの霊を呼び寄せようと霊能者のウィリアム・エグリントンに会合を開いてもらい、その時に現れたとされるキャサリンの亡霊とともに、一緒にいるティソ自身のポートレートを作品として残しています（図5）（＊2）。この頃からスピリチュアルへの助走が始まっていたようです。

〔お告げと宗教画家への道〕

キャサリンの死がきっかけで、ティソはフランスに戻ることを決意します。パリに戻ったティソは、「パリの女」というシリーズ作品を制作し画廊で発表します。その際、シリーズ中の《聖なる音楽》という作品の制作取材のためにサン・シュルピス寺院のミサに参加するのですが、そこでティソは、キリストの幻覚を見たと言います。教会で見たキリストのヴィジョンに、ティソはこのように告げられたとされています。

【（前略）「見よ、私はお前よりも哀れむべきものである。私はお前の抱えるすべての問題の答えである」（後略）】
（『ジェームズ・ティソ展』カタログマイケル・ウェントワース執筆、池上忠治監修、谷田博幸訳、読売新聞社、一九八八年、二十二頁）

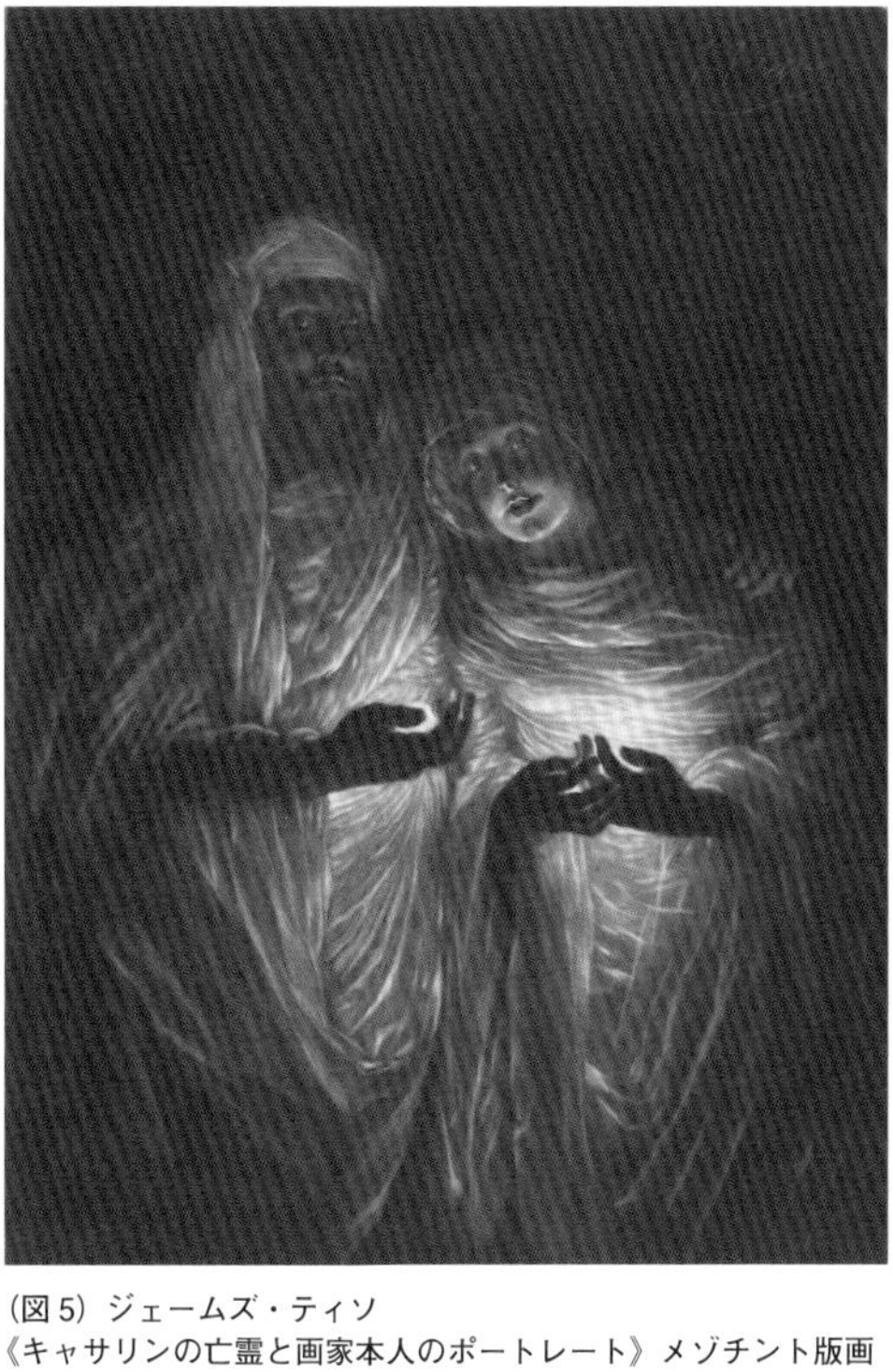

（図5）ジェームズ・ティソ
《キャサリンの亡霊と画家本人のポートレート》メゾチント版画
James Tissot, *The Apparition*, 1885
National Gallery of Art, Washington DC

キャサリンを失ったことで改めて人生を見直そうとしていた時期に、この言葉は深く心に刺さったのでしょう。当時の雑誌には次のように記載されています。

【（前略）彼の精神および、人間としての存在自体がメタモルフォーゼ《変容》した。（後略）】

（Levy, Clifton Harby, "An Illustrated Life of Jesus by J. James Tissot", The Open Court, January, 1899, Chicago, USA, p.3, 宮本由紀訳）

ディテールへの執着

ティソが宗教画家へと転向した理由。それは彼が幻覚の中のキリストに語り掛けられた言葉に、純粋に答えただけなのかもしれません。イエス本人が、ティソが抱える「問題の答え」であると言うのならば、そのイエスを絵画を通して追求しよう、もっと彼からの教えや恵みを得よう……ティソはそう考えたのでしょう。彼はそこから残りの人生全てを宗教画、とりわけ「キリストの生涯」の挿絵に捧げます。ティソが宗教画家としての成功を狙って転身したという見方もあるようですが、当時のインタビューなどを読むとティソの宗教への本気度が伺えます。結果論として、この転身により財を成すことができたというのが実際のところでしょう。

ティソの執念を示すエピソードが残っています。「キリストの生涯」を正確に、可能な限り事実に近いものを描くなら、中近東における地形や遺跡、民族の人相、服装や食文化などの全てを見なくてはと考えたティソは、巡礼者さながらパレスティナへ三回の取材旅行に出かけています。飛行機がなかった時代、一回の旅に要する時間は膨大です。現地案内人について馬（ロバの時も）でヤッファ方面からエルサレム入りする際、案内人が気を遣って近道を使うと、ティソは「なんてことだ！スコーパス山からエルサレムに入るように言ったではないか！」と怒ったそうです。ティソが主張するコースでは一時間余計にかかる上、雨も降っていることを考慮して道をチョイスしたガイドに対し、「私は観光をしに来たのではない。(街の)第一印象を台なしにするために、わざわざ二〇〇〇マイル旅してきたのではないのだ」と言い放ち、ガイドにスコーパス山まで引き返させたのです(＊3)。

スコーパス山は聖書に登場するオリーブの山の近くに位置し、その頂からはエルサレムの街を一望できます。そこからティソは街全体を眺め、画家として街並みを色で捉え、人としてのキリストの視点でしばしそこに立っていたに違いありません。ティソは徹底して、「事実」を観察することで「真実」に近付くことにこだわったのです。

信仰心こそ創作のエネルギー

そうして描きあげた「キリストの生涯」の本の挿絵展がアメリカを巡回した際、彼はいくつかのインタビューを受けています。『マクルーア・マガジン(McClure's Magazine)』という当時のアメリ

ジェームズ・ティソ《東方の三博士》不透明水彩
James Tissot, *The Magi Journeying*, 1886-1894, Brooklyn Museum (#2)
ジェリコーとケデロン谷とエルサレムの間にあり、死海にも近い丘。

カの人気雑誌（政治から文学まで扱う雑誌）にも紹介されました。聞き手のモフェット氏は、次のように書いています。

【（前略）短い時間しかティソと話していないが、ここにいるのは非常に繊細で崇高な人物だ。彼はまず信じて、その後に絵を描いている。（後略）】

(Moffett, Cleveland, "JJ Tissot and his Paintings of the Life of Christ," McClure's Magazine, March 1899, USA, p.394, 宮本由紀訳)

「彼はまず信じて」とは神を信じること。強い信仰心が創作の源となったのでしょう。それがなければ、「キリストの生涯」シリーズを描き終えることは難しかったでしょう。十年間で三六五点の絵画と一五〇点のペン画を完成させています。単純計算で一週間に一枚、これを五〇〇週間続けるということです。何という熱量でしょうか！

ティソは白紙を前に絵を描き始めると、自動的に絵のイメージが「降りてくる」と言っています。色も服装も顔も見えてきて、それを忘れないうちに、筆と絵具で描き留めるようにしていたとも述べています（＊4）。完全にイマジネーションからくる作品もあるためか、時折この時代の作品とは思えないようなミスティカル《神秘的》なキリストにも出会えます。《天使たちの仕え（Jesus Ministered by Angels）》（図6）などは、シュールかつ幻想的なものに仕上がっています。

どれほどティソが前衛的だったのかは、同じ十九世紀に描かれた、アメリカで活躍したイギリス出身の画家のトーマス・コールの同バージョンと比べてみると良いでしょう。元は更に大きな作品の一部（現在、米国のWorcester Art Museum 所蔵）ですが、イエスが荒野でのサタンの誘惑に打ち勝った後、静かに天使たちに癒されている場面というのがルネサンスの時代からの定番でした。

一方で、ティソの作品には《最初の釘打ち（The Driving of the First Nail）》など、イエスが十字架にかけられる際の「釘打ち」をかなりリアルに描いたものもあります。あまりにも残酷な表現に、批判的な論調で作品を評する批評家も出てきたようです。ルネサンス期に釘打ちのシーンの作品がなかったわけではありません。例えばフランドル派のヘラルト・

（図6）ジェームズ・ティソ《天使たちの仕え》不透明水彩
James Tissot, *Jesus Ministered to by Angels*, 1886-1894, Brooklyn Museum（#3）

ダヴィトなどによる絵は北ヨーロッパの敬虔なクリスチャンの人々の感情を呼び起こして涙を誘い、ティソのように痛みを感じさせる作品は確かに存在していました。ただどちらかと言うとイタリア以外の北方の国々に多かったのです。そして十九世紀になっても、フランスや後にティソがブレークするアメリカでは見慣れなかったので、ティソの生々しさが目立ったのでしょう。作品への批判的論評に対しては、ティソはこう答えました。

【（前略）古代ローマの恐ろしい風習、磔刑にかかわる行為がどれだけイエスに苦しみを与えたのかを理解するには、我々はその一つ一つの行為を見るべきです。（後略）】
（Levy, Clifton Harby, "An Illustrated Life of Jesus by J. James Tissot", The Open Court, January, 1899, Chicago, USA, p.12, 宮本由紀訳）

苦しみから決して目を逸らさない徹底した作品作り。ティソの鋼のメンタルに脱帽するばかりです。

人生をかけて制作したキリストのシリーズ原画は、一八九四年にパリ、一八九六年にロンドン、そして一八九八〜一八九九年にニューヨークを含むアメリカでの巡回展が開催されました。ティソは展覧会に同行し、アメリカに二度渡りました。展覧会は大成功を収め、アメリカでの巡回展では十万ドル（注2）の入場料収入があり、そして最終的には、「キリストの生涯」シリーズの挿絵を全てニューヨークのブルックリン美術館が六万ドル（注3）で買い上げ、ティソは富と名声を手にしたのです。後に取り掛かった「旧約聖書」の未完のシリーズはアメリカの慈善家、ジェイコブ・シフ氏が買い取りニューヨーク公立図書館に寄贈され、後にユダヤ博物館に移設されました（＊5）。

一九〇二年、ティソは没しました。晩年、宗教画で知名度を得て画家のキャリアを終えていますが、現代においてティソと言うとやはり、あの華やかな女性たちのイメージが定着しています。今後はティソの宗教画がより取り上げられるよう願うばかりです。何故なら、彼の魂はそこにあるからです。

注釈
（注1）普仏戦争敗北後にパリで結成された自治政権。労働者階級などの民衆が中心だった。
（注2）一九〇〇年の一ドルは、二〇二〇年の三十ドル。概算で約三億円。
（注3）一九〇〇年の一ドルは、二〇二〇年の三十ドル。概算で約一、八億円。

参考文献
『ジェームズ・ティソ展カタログ』池上忠治監修、読売新聞社、一九八八年
（＊1）（＊2）（＊5）Marshall, Nancy Rose, James Tissot Victorian Life/Modern Love, 1999, Yale Center for British Art
（＊3）（＊4）Moffett, Cleveland, JJ Tissot and his Paintings of the Life of Christ, McClure's Magazine, March 1899, USA

クレジット
（#1）James Tissot (French, 1836-1902). What Our Lord Saw from the Cross (Ce que voyait Notre-Seigneur sur la Croix), 1886-1894. Opaque watercolor over graphite on gray-green wove paper, Brooklyn Museum, Purchased by public subscription, 00.159.299 3.
（#2）James Tissot (French, 1836-1902). The Magi Journeying (Les rois mages en voyage), 1886-1894. Opaque watercolor over graphite on gray wove paper, Brooklyn Museum, Purchased by public subscription, 00.159.30.
（#3）James Tissot (French, 1836-1902). Jesus Ministered to by Angels (Jésus assisté par les anges), 1886-1894. Opaque watercolor over graphite on gray wove paper, Brooklyn Museum, Purchased by public subscription, 00.159.54 2.

column 07

アーティストとチャペル

▼心のチャペルを探す

ティソは多忙を極める晩年に、宗教画の挿絵以外にパリのドミニコ会修道会教会内の半円形祭壇画を手掛け、《全能のキリスト（Christ Pantocrator）》を一八九七年に献納しました。

アーティストが手掛け、携わり、装飾するチャペル。西洋美術史を追っていると、過去も現代もアーティスト人生の集大成はチャペルにあると気付きます。そのチャペルは必ずしもキリスト教のチャペルではなく、「いかなる宗教もウェルカム」なものもあります。アメリカ・ヒューストンにある「ロスコ・チャペル」は中に入るとまず受付のところに、聖書、コーラン、仏教の経典などあらゆる宗教の聖典や書物が置いてあります。そのような多様性と人権を推進する意向を持った創設者のド・メニル夫妻の理念に共感して、マーク・ロスコも内装を手掛けることに同意したのです。

また二〇一五年には、同じくテキサス州オースティンでエルズワース・ケリーが、これもまた宗教を問わないメディテーション（瞑想）の場として、「オースティン」というチャペルをデザインしました。こちらは作家の寄贈で遺作となります。本人は次のような言葉を残しています。

"I hope visitors will experience Austin as a place of calm and light."

164←

"Go there and rest your eyes, rest your mind."
「ここでビジターは平静と光を体験できることを願います。ここで目も心も休めて下さい。」
（https://blantonmuseum.org/chapter/introduction-13/, 宮本由紀訳）

人生の最後にスピリチュアルを追求するのはアーティストに限ったことではないでしょう。私たち一般市民も、人生において最終的に求めるのは心のチャペルなのだと思います。必要なのは自分の心を癒してくれ、リセットしてくれるもの。聖書や仏教の教えや古代ギリシャの哲学者たちの言葉など「古典」から学べることはもちろん多く存在しますが、まずはアーティストたちの全人生の思想や精神性が凝縮されている空間を訪れてみてはいかがでしょうか。人間の心を満たしてくれるのは、モノではないことに気付くかもしれません。アメリカの現代アーティスト、タラ・コンリーは作品の中で次のように言っています。

"The best things in life aren't things."
（人生における一番大切なものはモノではない。）

▼アーティストが携わったチャペル一覧（近代～現代）

o ジェームズ・ティソ／James Tissot

・フランス、パリのフォーブール・サン・トノレにあるドミニコ会修道会教会の半円形祭壇のために巨大な《全能のキリスト（Christ Pantocrator）》を制作。一八九七年献納。
〔Le Christ Pantocrator, L'église du couvent de l'Annonciation, Paris, France〕

○アンリ・マティス／Henri Matisse

・フランス、（南仏）ヴァンスにある「ロザリオ礼拝堂」。マティスによるデザイン設計。ステンドグラスや壁画もマティス作。一九五一年完成。
〔Chapelle du Rosaire de Vence, France〕

○パブロ・ピカソ／Pablo Picasso

・フランス、（南仏）ヴァロリスのピカソ美術館内にある礼拝堂のアーチ状壁面に壁画《戦争と平和》を制作。一九五二年完成。
〔La Guerre et La Paix, Chapelle, Musée Picasso, Vallauris, France〕

○マルク・シャガール／Marc Chagall

・フランス、（南仏）ニースの国立シャガール美術館（旧約聖書をテーマにした「美術館」ではあるが、シャガールのステンドグラスが礼拝堂を思わせる）。シャガールの宗教画多数。ステンドグラスや庭園もデザインした。一九七三年開館。
〔Musée national du Message Biblique Marc Chagall, Nice, France〕

○マーク・ロスコ／Mark Rothko

・アメリカ、テキサス州、ヒューストンの「ロスコ・チャペル」。アメリカの国家歴史登録財。設計の段階からサイト・スペシフィック(Site-specific＝特定の場所専用に作られること）作品を依頼される。一九七一年完成。
〔Rothko Chapel, Houston, TX, USA〕

○ジェームズ・タレル／James Turrell

・ドイツ、ベルリンの「ドロテーエンシュタット墓地のチャペル」。タレルがチャペルをデザインした。二〇一六年完成。
〔Kapelle auf dem Dorotheenstädtischen Friedhofl, Berlin, Germany〕

・アメリカ・テキサス州、ヒューストンの「スカイ・スペース」。タレル自身も信者であるクェーカー（キリスト教プロテスタントの一派）の祈りの場。地元建築家とタレルがコラボでデザインをした。二〇〇〇年完成。
〔The Skyspace at Live Oak Friends Meeting, Houston, TX, USA〕

○ルイーズ・ネヴェルソン／Louise Nevelson

・アメリカ、ニューヨークの聖ペテロ教会、ネヴェルソン・チャペル。ネヴェルソンがデザインした。一九七七年に完成。
〔The Chapel of the Good Shepherd (Nevelson Chapel), Saint Peter's Church, NYC, USA〕

○エルズワース・ケリー／Ellsworth Kelly

・アメリカ、テキサス州、オースティンにあるブラントン美術館（テキサス大学美術館）「オースティン・チャペル」。ケリーがデザインした。二〇一五年完成。
〔"Austin", Blanton Museum of Art, The University of Texas at Austin, Austin, TX, USA〕

注記
・〔 〕内は、チャペル（所蔵美術館）、都市、国の名称
・チャペル所在地は現地語表記

主人公
ラング
写真家

ドロシア・ラング

生没年 1895-1965 年

出身地 アメリカ

代表作 《出稼ぎ労働者の母》

冷静な視線…？

尊敬・ライバル意識

アダムス
写真家

アンセル・アダムス

生没年 1902-1984 年

出身地 アメリカ

代表作 《ヨセミテ渓谷》

EPISODE 8

被写体に寄り添うドロシア・ラング

共感か同情か——日系人強制収容所の記録写真〈その1〉

アメリカの大学の「米国史」の教科書に掲載されていた白黒写真に、私は衝撃を受けました。第二次世界大戦のパールハーバー攻撃（注1）のくだりに掲載されていたその写真は、カリフォルニア州在住日系人（注2）が収容所に連行されていくワンシーンを捉えたものでした。

大人から子供まで、一家で紙の「番号札」を首から下げ、収容所に向かうバス待ちの列に粛々と並ぶ日系人たち。彼らがまるで家畜のごとく扱われているように見えたのです。この一枚の写真は、非人道的な扱いを受け、強制的に収容所に入れられた人たちの歴史上の「事実」を強烈なインパクトを持って突き付けてきました。撮影者は写真家ドロシア・ラング。

日本での知名度は決して高くありませんが、ラングは、アメリカのドキュメンタリー写真界において名のある人物で、アメリカの美術の教科書にも出てきます。彼女が世に広く知られたのは、彼女の作品があまりにも象徴的なものとして多くの人々に訴えかけたからでした。今でも、ラングの名前は知らなくてもこの写真は見たことがある、と言うアメリカ人は多く存在します。そのラング撮影の代表作は《出稼ぎ労働者の

ドロシア・ラング
Dorothea Lange, 1942, Courtesy U.S. National Archives, photo no. 210-GC-153
モチダ一家の立ち退き。

取材メモ

母（Migrant Mother）》（図1）。アメリカから始まった世界恐慌を象徴する写真です。貧困にあえぐ三十二歳の母親と子供たちを捉えたこの写真は、ラングの眼差しを通した「事実」を、今も変わらず伝え続けています。

ラングの生い立ちと写真との出会い

その人生は波乱万丈でした。一八九五年にアメリカ・ニュージャージー州、ホーボーケンで、ドイツ系移民の三世として誕生したラングは七歳の時にポリオ（注3）を発症します。右足に障害を残しながらも、写真家としての活動をライフワークとすることを後に選択するのです。写真家を志すきっかけは、転居でした。一九〇七年、十二歳の時に父親が一家を去った後、ラングは母親と弟と共にニューヨークに居を移し、そこで写真と出会います。ニューヨークという芸術的刺激が溢れる街に住んでいたこと、コダック社のカメラの普及により、写真という媒体が一般に浸透していったことなどが複合的に影響したのか、ラングは写真に興味を持つようになっていきました。

中学・高校時代は、特別優秀な学生ではなかったようですが、写真で生計を立てるのは難しいという母親の説得で、大学はNew York College for the Training of Teachers（現コロンビア大学）へ進学します。しかし教育学を学ぶことに意欲がわかず、退学。その後は、写真家のアーノルド・ジェンスのスタジオなどで働きながら、独学に近いスタイルで写真を学ん

（図1）ドロシア・ラング《出稼ぎ労働者の母》
Dorothea Lange, *Migrant Mother*, 1936
Courtesy U.S. National Archives, Franklin D. Roosevelt Library, photo no. 196261

でいきます（＊1）。

一九一八年、女友達と世界を旅しようと、二人でニューヨークからサンフランシスコまで移動するのですが、そこで盗難にあって渡航費を失い、やむなくサンフランシスコにとどまり仕事をすることになりました。しかしこの不幸な事件によって、結果的には彼女の写真家としての道が開かれたのです。彼女はすぐにカメラ屋さんでの仕事を見つけ、写真プリントの受付係となりました。そこで一般の人たちが持ち込んださまざまなスナップショットに触れることになります。その経験が、後に自らが撮影者となった時のセンス磨きに役立ったのかもしれません。そこからわずかな時間で、ラングは自分の写真スタジオをオープンさせました。ポートレートに特化したスタジオの需要が増えている時代に、ラングの開業はタイムリーだったのか、あるいは彼女の持前の社交的な性格が効果的だったのか、一九二一年には、顧客を多く抱える、地元では知られた写真スタジオへと成長します。ドロシア・ラング、わずか二十六歳の時でした。

二度の結婚

運命的な出会いというのは仕事が波に乗っていて、忙しい時に起こるものなのかもしれません。そんな出会いをラングは人生において二度経験することになります。仕事で多忙な日々を過ごしていた彼女は地元の著名なウェスタン画家のメイナード・ディクソンと出会い、翌年には結婚します。ディクソンは再婚で、前妻との間に子供を一人もうけていました。ウェスタンブーツを履きこなす、画風にたがわぬエキセントリックな人物だったようです。後に、ラングとの子供も二人授かります。

しばらくは、お互いの仕事が順調で平穏な日々が続いたのですが、一九二九年、世界恐慌が二人の幸せな家庭にも忍び寄ります。フランクリン・ルーズベルト大統領が世界恐慌を克服するために打ち出した「ニューディール政策」により、政府は大量の失業者を雇用すべく公共施設を建設するなど、公共事業を拡充していきます。

EPISODE.8

被写体に寄り添うドロシア・ラング

中でも、WPA（Works Progress Administration ＝公共事業促進局）のような機関（注4）はアーティストも積極的に雇用し、ラングの夫メイナードもダムの塗装業務を請け負うなど、一家はそれで何とか生計を立てている状況でした。しかし一九三二年には、二人の住むサンフランシスコの失業率は三十パーセントにのぼり（＊2）、不況はラング夫妻の仕事にも影を落とし始めます。一家の収入が減るにつれて、夫婦の関係は悪化していきました。

ラングは、サンフランシスコの街中で見た、失業者たちが手持無沙汰に時間を持て余す姿、食料配給を待つ人の列やホームレスの人たちなど、今まで見ることのなかった光景を目の当たりにして写真を撮らずにはいられなかったようです。この不況こそが、ラングをポートレートからドキュメンタリーの写真家へと転身させました。

そのような状況で出会ったのが、次の夫となるポール・テイラーです。カリフォルニア大学バークレー校の教授で農業経済学者であったテイラーは、メキシコからの移民などの研究に従事していました。その研究スタイルは対象にかなり寄り添ったもので、ラングの伝記の著者リンダ・ゴードンが「humanist economist（人道的なエコノミスト）」と評したほどでした（＊3）。

テイラーはギャラリーで偶然、ラングの社会派寄りの作品を目にします。その写真の使用許可を得るためにラングにコンタクトを取ったことが、二人の出会いのきっかけとなりました。その後、国の不況を農業的側面からリサーチするため、テイラーは出稼ぎ労働者が住む地方へ実際に出向きます。そこにラングも帯同し現場を撮影する、という作業を重ねていきました。テイラーが執筆、ラングが撮影。この二人の共同作業で、一つのメッセージを伝えていくスタイルを確立していったようです。そして、その仕事でのコラボレーションが、プライベートでの強い絆へと発展していきました。

ラングとテイラー

→171

二人にはそれぞれ家庭がありましたが、間もなく双方とも離婚が成立、再婚を果たしました。それぞれの子供たちの境遇は一般的に見れば決して幸福なものではありませんでしたが、二人が選択したのは恋愛と仕事のパートナーシップだったのです。あの象徴的な《出稼ぎ労働者の母》はこの時期に誕生しました。

米軍から依頼されたドキュメンタリー・フォト

一九四一年十二月八日未明（アメリカでは七日）、日本が真珠湾を攻撃したこの日は、アメリカ人にとっては特別な日として今も記憶されています。「Remember Pearl Harbor（真珠湾を忘れるな）」という当時のスローガンと共に、日本にだまし討ち（注5）にあったというイメージは、今もなお根強く彼らの中に残っています。SNSが普及した現在では、毎年十二月八日になると私のフィードにも「今日は記念日です……」と友人の投稿が流れてきます。記事をアップした本人は、日本人が嫌いであるとか差別主義者ではもちろんありません。彼がその記事をアップする理由、それはおそらく反戦の願いを込めてのことなのだと、私は理解しています。

真珠湾攻撃から数か月経った一九四二年の二月、アメリカ政府は国内の日系アメリカ人を「敵性外国人」とみなし強制収容を決定、リロケーション（強制退去）の実行のための組織WRA（War Relocation Authority＝戦時転住局）を設立します。ラングは恐慌時、夫と共にFSA（Farm Security Administration＝農業安定局）の仕事をした経歴を買われてか、この「強制排除」の記録写真家、つまり記録を残すための軍公認ドキュメンタリー・フォトグラファーとしてWRAに雇われました（注6）。

ちょうど写真家として名誉あるグッゲンハイム奨学金のオファーを受けた直後だったラング。奨学金を辞退してまでラングはこのプロジェクトに参加します（注7）。日系人の強制排除は、差別的で人道的に容認されるべきではないと言う、

ラング夫妻の思いがありました。夫ポールは「外から」反対するよりも「内側から」攻めて行った方が良いと考えたのだとも言われています（＊4）。強制排除に反対だったからこそ、彼女はこの仕事を引き受けたのでした。

その思いが作品に現れたのでしょう。この時期ラングが撮影した一連の記録写真は、実は二〇〇六年までほとんどが公開されておらず、戦後何十年にも渡り米軍に押収されていました。依頼主と検閲官が同じ米軍というのもおかしな話ですがそれはさておき、米軍はラングの作品に、ある種の脅威を感じていたのです。

日系人強制収容所での撮影

ラングは、日系人が集められる前から撮影に着手していました。日系人たちはまず登録所に行き、立ち退きと収容バスの日時と場所を指定されたようなのですが、ラングはその登録所に並ぶ日系人たちの様子はもちろん、彼らが自宅や職場を売り払い、その場を去る直前の普段の生活をも捉えました。子供たちが学校で学ぶ姿、家族が教会へ通う情景、農園で働く人々や干された洗濯物など、彼らの日常の記

ドロシア・ラング
Dorothea Lange, 1943, Courtesy U.S. National Archives, photo no. 210-G-A35
「私はアメリカ人だ」と主張する日系人オーナーの店。

EPISODE.8

被写体に寄り添うドロシア・ラング

録が多く残されています。

また、街中で日系人が経営しているお店なども撮影しました。略奪や嫌がらせ防止のために店先に貼られた「私はアメリカ人だ」というポスター、「ジャップ」という見出しが躍る新聞が並ぶスタンド……。撮り貯められた写真には、当時の差別的な空気が充満している街の光景が収められています。現在一般公開されている写真は、収容前、収容当日(注8)、収容所到着、収容後の生活、と一連の流れを捉えています。収容前の生活の撮影については、米軍の依頼なのか、ラング本人の狙いだったのかは分かりませんが、それら収容前の写真から垣間見られる暮らしの様子は、後の隔離生活とのギャップを際立たせる貴重な記録となっています。

そしてどの写真からも単なる記録以上のものが溢れ出ています。「そもそもドキュメンタリー写真というのは、全くの主観なしで撮れるものなのだろうか?」そんな疑問がありましたが、ラングの作品を見て改めて、それは難しいことなのだと実感しました。絵画において、その画家のスタイル――いわゆる「くせ」や対象物に対する「想い」などが自然と作品に表れるのと同じように、写真にも撮影者のそれが醸し出されるのです。

勤勉に働く姿、規律正しく並んでいる姿、施設内の仮設住宅においても綺麗な身なりを気にかけている姿、子供たちが一生懸命に勉強している姿など、レンズが捉えた日系人たちの写真からは、「これほど真面目で脅威を感じさせない米国市民に対してのこの行いは、非道であり非難されるべきではないのか?」という、ラングから政府への問いかけであるかのように感じられます。

ラングはポートレートをメインにしていたこともあり、「人物」のその内面、微妙な感情や特徴を捉えるのが上手く、構図の上手さもあいまって、内容はシリアスなものなのですが、芸術的なセンスが感じ取れるような作品が多く存在します。また、収容所内で被写体となった人々も、カメラの前でその時々、思い思いの自然な表情を見せています。ラングとの信頼関係が成り立っていた証でしょう。収容所内の撮影は米軍の監視下で行われ、彼女が親しく日系人たちと話し出すと、側で監視していた係員が会話を止めに入ってくることもあったようです。それを見て、収容されている人たちはラングに対しますます協力的になっていった、との見方もあります（＊5）。記録としてこの事態を写真で残さないと、後々何も証明できるものがない――日系人たちはラングと同様、このことに気付いたのかもしれません。

ラングは何度も収容所を訪れているうちに一部の人たちと親密になったようで、手紙のやり取りもしていました。収容所内の日系人からラング夫妻に宛てられた手紙からはその交流の様子が伺えます。ラングが保管していた数々の手紙の中に、ツールレイク強制収容所（Tule Lake War Relocation Center）に入れられたYさんからの手紙があります（二通はラング、一通はテイラー宛）。

Yさんの収容所での不安は収容所を出所した後にあったようです。就職先など生活全般を鑑みてアメリカのどのエリアに行けばよいのか決めかねており、西海岸より東の方が就職口があると聞いたがそれは事実なのか、どのような職なら多く募集があるのかなどを聞いています。情報から遮断された囲いの中に住んでいることからくる悩みを聞いたラングは、Yさんの職探しに奔走しました。Yさんが収容所内で婚約し、婚約者が就職するエリアに居住地を合わせなければならなくなり、せっかくのポジションは辞退したようですが、仕事だけでなくプライベートに踏み込んだ内容も打ち明けていたのです。またYさんは、日系人はアメリカへの忠誠心を証明するために強制収容に同意したのに……と不満を漏らしつつも、アメリカ憲法に明記されている「全ての人間は平等に造られている」という言葉に希望を持ちたい、といった前向きな気持ちも綴っています（＊6）。

収容所の人々と密な関係を構築していったラングに客観的な写

ドロシア・ラング
Dorothea Lange, 1942,Courtesy U.S. National Archives, photo no. 210-G-C840
マンザナール収容所。ラングが撮影した収容所の写真として有名。

EPISODE.8

被写体に寄り添うドロシア・ラング

真を撮るのが難しいことは、本人も自覚していたのかもしれません。そんなラングが目指したのは、彼らの苦しみや悲しみが直接伝わる、同情を誘うようなセンチメンタルなものではなく、写真を見た人皆が、それが切り取った「事実」について考えるきっかけを与えるような作品なのではないかと感じます。

では彼女の写真を具体的に見ていきましょう。ほとんどのものに本人が付けた「キャプション」があります(注9)。写真だけでも十分伝わってくるものがあるのに、まるで取材メモを兼ねているような長いテキスト。これが更なるパワーを作品に与えています。写真は定期的に管轄のWRAにキャプションと共に提出され、ラングもこれを米軍に読まれるのは承知の上で書いていました。ここで収容前の写真を三枚、そして集合センターでの写真を一枚、マンザナール収容所内での作品を二枚紹介します。

「カリフォルニア州、サンフランシスコにて。ラファエル・ウェイル公立学校。ゲーリーとブキャナン通り。日系家庭の子供たちは両親とともに強制的に立ち退きをし、期間中はWRAの施設に住み、引き続き教育を受けられるように施設が設けられます。」

(図2：Courtesy U.S. National Archives, photo no. 210-G-A72, 宮本由紀訳)

(図3：Courtesy U.S. Nationall Archives, photo no. 210-G-C122, 宮本由紀訳)

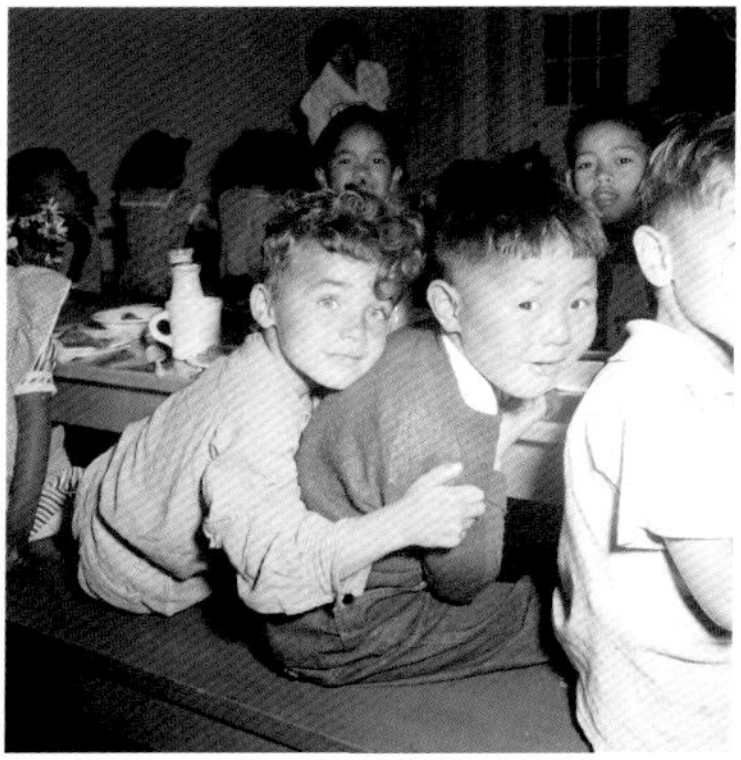

(図2) ドロシア・ラング
Dorothea Lange, 1942
Courtesy U.S. Nationall Archives, photo no. 210-G-A72

収容前。小学校のランチタイム。

(図3) ドロシア・ラング
Dorothea Lange, 1942
Courtesy U.S. National Archives, photo no. 210-G-C122

収容前。小学校で星条旗に忠誠を誓う子供たち。

図1、2は強制収容前の写真。どちらも、日系や白人系やその他の人種の小学生たちが共に過ごしている姿が印象的です。

「フローリン、サクラメント、カリフォルニア州。軍人とその母、いちご農園にて。軍人は二十三歳で一九四一年七月十日に志願し、ミズーリ州レオナルド・ウッド基地に配属された。彼は、母と家族の立ち退きを手伝うために一時休暇を得た。六人の子供の内、一番若い。（他の）二人も米軍の志願兵だ。五十三歳の母は、三十七年前に日本から来た。夫は三十一年前に亡くなり、一人で六人の子供を育てた。母は昨年までいちごのバスケット工場で働いていたが、子供たちが「もう他人のために働かなくていいように」と、三エーカーのいちご用の土地を借地契約した。家族は仏教徒。写真は一番下の息子。二番目の息子は軍のフォート・ブリスに配属されている。このエリアからは四百五十三の家族が強制退去する。」

（図4：Courtesy U.S. National Archives, photo no. 210-G-A584, 宮本由紀訳）

農園で収穫されたいちごのバスケットを持つ母と、軍人である息子と二人が正面を向いて撮影されているこの写真。キャプショ

（図4）ドロシア・ラング
Dorothea Lange, 1942, Courtesy U.S. National Archives, photo no. 210-G-A584
収容前。イチゴ農園の軍人と母。

ンから一家の物語が見えてきます。米軍に子供三人も志願しているにもかかわらず、その家族を強制収容するという不可解で理不尽な事実を切り取っているようです。

「タンフォラン集合センター、サンブルーノ、カリフォルニア州。この集合センターはオープンから二日経過している。この日は、強制退去させられた日系人たちを乗せた満員のバスが、次々と到着している。必要な手続きを済ませた後は、一時収容施設内の部屋へ連行される。今日運営している食堂は一か所のみ。写真は、正午に新規到着した抑留民が食堂の外で並んでいる様子を捉えている。背景には、建てられたばかりの家族用の仮宿舎。写真の左右を対角線上に走る広い道路は元競走場。」

(図5：Courtesy U.S. National Archives, photo no. 210-G-C334, 宮本由紀訳)

この写真で驚くのは食堂前の長打の列。整然と並ぶ日系人にフォーカスすることによって、彼らの「ルールを守る姿」をアピールしています。また「食べる」という人間としての根本的な営みにさえ、どれだけの苦労を有しているのかが伝わってきます。

「サクラメント、カリフォルニア州。マサミチ・スズキとビル・スギヤマ。

(図5) ドロシア・ラング
Dorothea Lange, 1942
Courtesy U.S. National Archives, photo no. 210-G-C334
収容所到着後。集合センターの食堂前の行列。

(図6) ドロシア・ラング
Dorothea Lange, 1942
Courtesy U.S. National Archives, photo no. 210-G-C463
収容後。今は収容所のルームメート。

ハービー・イタノのルームメート。集合センターにて。二人共カリフォルニア大学に通っていた。スギヤマ氏は収容前にカリフォルニア大学の医学部に受かっていたが、今では通学できなくなってしまった。」
（図6：Courtesy U.S. National Archives, photo no. 210-G-C463, 宮本由紀訳）

青年二人が仮設ベッドの上に座っている写真。二人共大学生で、白衣を着ているのは医学生です。強制収容によって優秀な医者の卵の運命が変わってしまったことが分かります。

「避難民のボランティア教師で成り立つ小学校が作られた。この学校は希望者のみが参加する。教師はほとんどが大卒。未だ学校の備品は揃っておらず、あいているテーブルやベンチが使用されている。」
（図7：Courtesy U.S. National Archives, photo no. 210-G-C667, 宮本由紀訳）

マンザナール収容所内での写真。ベンチ

（図7）ドロシア・ラング
Dorothea Lange, 1942,Courtesy U.S. National Archives, photo no. 210-G-C667

収容後。ベンチが机代わり。

を机代わりに使い、床にひざをついて一生懸命にノートに書き込んでいる子供たち。

これらのテキストは、彼女の差別に対する抗議と怒りを静かに表現しているように思えます。他のドキュメンタリーの写真家が「収容の流れを記録として撮れ」という依頼を受けたとしても、対象となる人物がどこの大学出身であって何を目指していたのかなどいちいち取材して記録することはまずないでしょう。各々のキャプションはラングが意図的に意味を込めたテキストであると考えられます。

これに焦ったのは、ラングに仕事を依頼した米軍です。まるで政府を批判しているかのようにも解釈できる写真の数々を、米軍は公にすることはできなかった……これが米軍がラングの作品に感じていた脅威であり、数十年に渡り作品を押収していた理由と考えられます。ラングの起用は軍の想定をはるかに超えた、表面的なこと以上の「記録」を後世に残すことになりました。ラングは戦後、いつかこの事実が公になり、二度とこのようなことが繰り返されないよう切に願っていました。その証拠として彼女は、一九六四年に年老いて亡くなる一年前にこのように話しています。


【（前略）私はあの収容所の仕事に関しては、決して心地良い気持ちはしませんでした（中略）その任務は限りなく困難なものでした（中略）しかしながら、私が成し遂げたのは驚くべきことなのです（中略）なんと、上手く作用したようです（中略）いくつか（の作品）は美しいし、いくつかは本当に心を惹きつけるようなものです。そんなに多くはないですが、事実を表すものもあります（中略）一九六七年にはあの事件から二十五年が経ちます。そろそろテレビのドキュメンタリーを作り、このようなことを言うべきなのです。「私たちはこのような行いをした。なぜ起こったのだろう、なぜそれを許したのだろう？」（後略）】

（Gordon, Linda, "Dorothea Lange - A Life Beyond Limits", W. W. Norton & Company Inc., New York, 2009, p.326, 宮本由紀訳）

被写体に寄り添うドロシア・ラング

注釈

（注１）真珠湾攻撃。一九四一年、日本がアメリカのハワイ準州オアフ島（パールハーバー）を攻撃した。

（注２）日本以外の国に移住し、国籍や永住権を取得した日本人およびその子孫。

（注３）急性灰白髄炎《きゅうせいかいはくずいえん》。四肢の急性弛緩性麻痺が主な症状とされる。日本では一般に小児麻痺と呼ばれる。

（注４）WPA が管轄する FAP（Federal Art Project ＝連邦美術計画）という機関はまさに芸術家を支援するために作られ、公的施設における壁画プロジェクトなどがあった。その中で一番知られているのがサンフランシスコの「コイト・タワー壁画プロジェクト」。ただしラングの夫、メイナードはこれには参加していない。

（注５）パールハーバー攻撃の際、日本からアメリカへの開戦通告が攻撃より遅れたため、だまし討ち（Surprise attack）と言われている。

（注６）国の内外から「強制排除」の是非を問われた時に、「最低限の人道的な生活は与えた」と主張できるように、記録を残しておいたと言われている。

（注７）グッゲンハイム奨学金は一九二五年、ジョン・サイモン・グッゲンハイム記念財団により創設された奨学金制度。芸術において優れた創造力を示したアーティストが「自由に創造的に作品を作れるように」授与された。米軍の依頼による仕事は給料が発生し、この精神に反するためラングは奨学金を辞退したと思われる。

（注８）場所によって段階的に行われた。

（注９）ラングは収容所関係の写真に取材メモを兼ねて長いキャプションを付けている。タイトルはない。

参考文献

（＊１）（＊２）（＊３）Gordon, Linda,“Dorothea Lange - A Life Beyond Limits”, W. W. Norton & Company Inc., New York, 2009

（＊４）（＊５）Gordon, Linda / Okihiro, Gary Y. (edit),“Impounded, Dorothea Lange and the Censored Images of Japanese American Internment”, W. W. Norton & Company Inc., New York, 2006

（＊６）“Calisphere”, University of California Libraries

フォト
エッセイ

EPISODE 8

スマイル至上主義のアンセル・アダムス

共感か同情か——日系人強制収容所の記録写真〈その2〉

もう一人のフォトグラファー

この強制収容の記録写真、実は後にラング以外の写真家によっても撮影されています。一番広く知られているのはアンセル・アダムス。そして、実際本人も収容されていた宮武東洋《みやたけとうよう》です。宮武は写真家で、収容された際に隠し持っていたレンズでカメラを自作し、収容所内の日々の生活を避難民の目線で撮影していました。宮武はまた別の機会にご紹介するとして、ここではアプローチが対称的なラングとアダムスを比較してみましょう。

アダムスと聞けば写真に詳しい方なら、ヨセミテなど雄大な大自然をモチーフにした白黒の写真を思い浮かべることでしょう。風景を得意としていたアダムスが収容所の人々の暮らしを撮るきっかけとなったのは、彼の知人ラルフ・メリットがマンザナール強制収容所で所長になり、彼からオファーを受けたからでした。給与は出せないが、滞在場所や食事は提供できるという条件をアダムスは快諾したと言います。第二次世界大戦が勃発してから、自分も写真家としてその戦争に関わりたいと思っていたアダムスには、メリットから提示された条件は十分なものであったのかもしれません。

アンセル・アダムス《テトンとスネークリバー》
Ansel Adams, The Tetons-Snake River, 1942
Courtesy National Archives, photo no. 79-AAG-1

ラングがマンザナールでの撮影を終えた後の一九四三年から一九四四年にかけてアダムスはキャンプ地に入り、最終的には、『自由と平等の元に生まれた――忠誠心を持つ日系アメリカ人の物語（Born Free and Equal: The Story of Loyal Japanese Americans）』というフォトエッセイ集を出版します。まだ終戦を迎えていない一九四四年のことです。

【（前略）この写真集は、収容所の人びとやそこで起きる問題の社会学的分析を試みるものでは断じてない。本書は平均的アメリカ市民に向けられたものであり、人間の感情を基本に構想されている。忠実な日系アメリカ人を抽象的で曖昧なマイノリティの集団として考えるのではなく、個人の現実とその環境に重きを置いている。（中略）本書全体を通して私は、読者に何らかの信条を押し付けたり、何らかの社会的行動を読者に説くつもりはない。読者がマンザナールにおいて私と共にあり、そこで出会う人々や、収容所の雰囲気やその環境について理解したと感じること――結果、そこから自身の結論を引き出すこと――を望んでいるのである。政府や民間の組織の後援（注1）は意図的に避けた。それら組織の誠実さや有効性に疑いを持っているからではなく、この作品を厳密に個人的な思想、表現にしたいと願うためである。（後略）】
（Ansel Adams,“Born Free and Equal the story of Loyal Japanese Americans”,U.S. Camera, New York, 1944, p.9, 佐藤実訳）

政府に雇われたにもかかわらず、皮肉にもその後何十年にも渡り写真が押収されていたラングに対し、アダムスは政府公認での撮影者ではなかったのですが、WRA（War Relocation Authority＝戦時転住局）の許可を得てこのフォトエッセイ集を世に出しています。更に、前書きに当時の内務長官ハロルド・L・イケスが文章を寄せています。WRAがイケスの管轄になったのはラングが既に撮影を終えた一九四四年でした。彼は強制収容に関しては反対の立場をとっており、ルーズベルト大統領宛てに収容を止めるよう、書簡で進言した人物です。

マンザナール収容所での撮影が決まったアダムスに対して、当初はエールを送っていたラングでしたが、伝記によれば彼女はアダムスの本に関してあまり深く肯定も否定もしておらず、「アンセルだからあの程度よね」といったニュアンスのことを後のインタビューで話しています。戦争勃発当時は日系の人たちに対してあまり興味がなかったのが、後にあの本を出すことになり、彼はそれを自慢に思っていたとも言っています（＊1）。

このラングの言葉を読むまでもなく、アダムスの写真は明らかに全体のムード自体がラングのものとは違い「明るく、さわやか、ハッピー」な印象を見る人に与えます。アダムスが撮影を行った一九四三年〜一九四四年は、強制収容の執行から既に数年が経過し、極端に制限された生活を強いられている中でも日々の暮らしが機能し始めていました。ラングが最初に撮った際の混乱や困惑的な雰囲気に変化が生じていたのは確かです。しかし、「明るい」内容の写真を承認する軍の意向を計算した上での、アダムスの戦略もあったのかもしれません。

いずれにせよアダムスの作品からは、日系人に対する「同情＝シンパシー（sympathy）」は感じられますし、彼が書いたテキストはアメリカ的自由と平等を主張する美しく理想主義的な文面に仕上がっており、心に響くものがあります。また、戦争の真っただ中においてこのような本を出すことは、非常に勇気のいることだと思います。出版当時、かなりの議論が巻き起こり、批判され、本を燃やされたりもしたようです。特に西海岸においては、日本を擁護するような人たちには冷たい視線が寄せられていたに違いありません。

アンセル・アダムス《キャベツを持つリチャード・コバヤシ》
Ansel Adams, *Richard Kobayashi with Cabbages*, c. 1943
Collection Center for Creative Photography, University of Arizona

エンパシー（共感）とシンパシー（同情）

見る人に問いかける写真を撮ったラングに対し、日系人たちの忠誠心をアピールし、彼らは平等に扱われるべきという主張に終始した写真のアダムス。両者のアプローチの決定的な違いはここにあります。アダムスの作品は自己「完結」しているのです。今風に言えば、良い人アピールを全面に押し出す作風で、ポートレートの被写体の日系人たちは笑顔が素敵な方たちばかりです。

一方ラングの写真は、先に述べたように、彼らの立場に立って寄り添い「共感＝エンパシー（empathy）」する気持ちが伝わり、彼らの忠誠心をアピールしながらも鑑賞者に問題提起するようなスタイルです。アダムスのような「完結型」とは対極の「展開型」なのです。この時代を生きる写真家としてどのような写真を残すべきなのか？そのような使命感があったように感じられます。

ラングとアダムスは共にサンフランシスコをベースとしており、お互い知人で、仕事上の交流もありました。華やかな世界が好きだったアダムスに対し、硬派なラングは複雑な想いを抱いていたのではないでしょうか。フレネミー（注２）な二人の関係は、ラングが亡くなる時まで続きました。となると、この二人は生涯いがみ合っていたのかと思ってしまうかもしれませんが、アダムスに関して言うと、彼はラングの作品を高く評価し、尊敬し、色々な写真界のキーパーソンたちにラングを褒め称えていたようです（＊２）。

注釈
（注１）金銭的な後援を意味していると推測される。
（注２）友を装った敵。フレンド（友）とエネミー（敵）の造語。英語から来ている。

参考文献
（＊１）Gordon, Linda/ Okihiro, Gary Y. (edit), "Impounded, Dorothea Lange and the Censored Images of Japanese American Internment", W. W. Norton & Company Inc., New York, 2006
（＊２）Gordon, Linda, "Dorothea Lange - A Life Beyond Limits", W. W. Norton & Company Inc., New York, 2009

column 08

意志を継ぐ者

▼1940年代の被写体を探して

アメリカでは一九四二年、ルーズベルト大統領の令により十二万人以上に及ぶ日系人が自宅から強制的に退去させられ、全米の強制収容所に送られました。それから七十八年が経った二〇二〇年の二月、米国史上最大規模の強制退去に関わったカリフォルニア州が、日系米国人に対しての公式謝罪決議を採択しました。一九八八年にレーガン大統領が連邦政府として公式に謝罪をし賠償金も支払っていますが、州としては初の謝罪となります。

カリフォルニア州在住の写真家でピューリッツァー賞受賞、フォトジャーナリストでもある、ポール・キタガキ・ジュニア（Paul Kitagaki Jr.）は、この謝罪に最も注目していたうちの一人です。キタガキ氏は、ドロシア・ラングが一旦終えた任務を現在再開させている人物です。一九八〇年代初頭、国立公文書館（U.S. National Archives）を訪れたキタガキ氏は、ラングが撮影した九〇〇枚に及ぶ作品から、ある一枚の写真を発見します。一九四二年に撮影されたその写真には、自身の父親や祖父母が集合所へと向かうバスを待つ光景が映っていたのです。叔父から、家族が映っている写真が公文書館にあるらしいとの話は聞いていたのですが、ようやくオリジナルの作品との対面が叶いました。

これをきっかけに、キタガキ氏はある活動への取り組みを決意します。ラングが撮った写真に写っている人々を探し当て、現在の姿を撮影すると共に、ラングに倣ってインタビューも敢行するというプロジェクトです(注)。キタガキ氏がこの活動に取り組んだ理由は、キタガキ氏自身が高校時代に受けた衝撃にありました。歴史の授業で自分の両親を含む日系の人々が強制収容所に入れられていたという事実を初めて知ったのです。両親からはこの話を何も聞かされておらず、強いショックを受けたキタガキ氏はこの授業の後、当時のことを両親に尋ねてみました。しかし、もう辛い過去のことは忘れたい、前だけを向いて生活をしていきたい——多くを語りたがらない両親から、キタガキ氏はその思いを受け止めざるを得なかったそうです。しかし彼はある時、気付いたのです、他の多くの日系人の家族も自身の両親と同じ思いを抱えて日々の生活を送っているに違いないと。このままだと皆の体験、それに付随するさまざまなストーリーが忘れ去られてしまう!ラングの写真と対面を果たしたキタガキ氏は強い使命感に駆られ、この活動は彼のライフワークとも言うべきものとなっていきました。

ラングが撮った一九四〇年代のモデルとなった無名な人々を探し当てるのは、途方もない作業だったに違いありません。それでも十五年以上かけて活動を続けるうちに少しずつ協力者も増え、近年では展覧会を開催し、本が出版されるまでに至

ドロシア・ラング
Dorothea Lange, 1942
Courtesy U.S. National Archives, photo no. 210-G-C697

ポール・キタガキ・ジュニア《ウォルター・サカウエ、76歳、2017年、テキサス州マッキニー市の自宅にて》
Paul Kitagaki Jr.
Walter Sakawye, 76 in 2017, at his home in McKinney, Texas(#)©Paul Kitagaki Jr., All Rights Reserved.

ラングの写真で祖父に背負われている孫が、キタガキ氏の写真では初老の男性に。

りました。日系人たちの「力強さと不屈の精神」を表現するために展覧会で試みた、ラングとキタガキ氏自身の作品の並列展示は、鑑賞者に強いインパクトを与え高い評価を得ています。展覧会のタイトルは「ガンバッテ！不屈の精神のレガシー、逆境を乗り越えて（Gambatte! Legacy of an Enduring Spirit, Triumphing over Adversity)」。そして本の題名は『鉄線に囲まれて——第二次世界大戦中に収容された日系アメリカ人を追って（Behind Barbed Wire; Searching for Japanese Americans Incarcerated During World War II)』。キタガキ氏は、いつかこの展覧会が日本でも実現できるよう願っています。

　戦後アメリカは移民に関しては寛容な方針を取っていましたが、近年では、メキシコとの国境での不法移民の取り締まりの強化や国内の人種間での分断など、またラングの時代へと逆戻りしているかのような状況にあります。キタガキ氏はそのような動きも危惧し、活動しているのでしょう。ラングのまなざし、そしてそれを引き継いだキタガキ氏のまなざしを通して、私たちも今一度歴史を振り返り、学ぶ必要があるのだと思います。まずは一人一人が今一番身近にいる人たちと平和で友好的な関係を築くことが、世界平和への第一歩になるのではないでしょうか。

注釈

（注）キタガキ氏の写真はこちらで見られます。https://www.kitagakiphoto.com/

クレジット

（#）Paul Kitagaki Jr., Walter Sakawye, 76 in 2017, at his home in McKinney, Texas, from Exhibition, “Gambatte! Legacy of an Enduring Spirit: Triumphing over Adversity. Japanese American WWII Incarceration Reflections Then and Now”.

EPISODE

9

登場人物

主人公
レオナルド
画家

ルネサンスの
三代巨匠

ミケランジェロ
彫刻家

ラファエロ
画家

レオナルド・ダ・ヴィンチ

生没年 1452–1519 年 出身地 イタリア

代表作 《モナリザ》《最後の晩餐》

EPISODE 9

スケッチばかりで何も完成させられない！
夢想家レオナルド・ダ・ヴィンチ

レオナルド・ダ・ヴィンチ——天才の悩み

レオナルド・ダ・ヴィンチといえば「万能の天才」、そして世界で最も有名な絵画《モナ・リザ》を描いたルネサンスの画家として著名であることから、あたかも多作な作家だったようなイメージがあります。しかし彼が六十七年の生涯で制作した絵画作品はたったの十五点と言われています。彼が残したメモ書きや手稿には、思うように作品を完成させられない自分へのフラストレーション、また当時の画家の「芸術家」としてのステータスの低さに対するコンプレックスが赤裸々に表現されています。誰もが疑うことのない天才レオナルドにも苦悩がありました。エピソード9では、レオナルドが最初の「マスターピース（代表作・傑作）」である《最後の晩餐》を完成させるまでのもがきと葛藤について知られざるエピソードを紹介すると共に、作品の鑑賞ポイントについてもお伝えします。

Mona Lisa
Leonardo da Vinci

〔レオナルドのつぶやき〕

「私は一体何を成し遂げたというのか……」。レオナルドの日誌にはこのような言葉が書かれていたことがよく知られています。人生のどのステージにおいてこの苦悩のコメントが書き込まれたのかは不明ですが、ミラノでの代表作《最後の晩餐》を四十代半ばで完成させる前だと推測されます。レオナルドは四十歳になってもマスターピースと呼ぶに相応しい作品を仕上げるに至っていませんでした。二十代であの《ピエタ像》を完成させたミケランジェロや、《アテネの学堂》を含む現ヴァチカン教皇庁の中の「署名の間」に取り掛かったラファエロと単純に比較すると、レオナルドは遅咲きだったことが分かります。平均寿命が短かったルネサンスの時代において画家として四十歳で代表作がない……かなりの焦燥感に苛まれていたと思われます。

〔少年時代〕

レオナルドは一四五二年、フィレンツェ近郊のヴィンチ村に生まれました。父親は公証人で地元の名士でしたが、母親は身分の低い女性だったようで私生児として誕生しました。正規の教育は受けておらず独学だったため、生涯ラテン語に苦労をしたという説もあります。

「最初の美術史家」ジョルジョ・ヴァザーリの『芸術家列伝』という著作は現在、ルネサンス期の芸術家たちについての貴重なプライマリーソースとして扱われていますが、この伝記の中でヴァザーリはレオナルドの幼少期に触れ、彼の性格は次のようであったと書いています。

【（前略）学殖においても、また文芸の分野においても、もしあれほどに多様で変わりやすい性格でなかったならば、偉大なる成果をあげていただろう。彼は多くのことを学ぼうとして、始めたかと思うとすぐにやめてしまうのであった。こうして数学においても、手をつけてわずか数カ月の間にたくさんの知識を獲得したが、絶えず疑問や難問に心を奪われ、教える先生もしばしば当惑してしまうのであった。（後略）】

（『芸術家列伝3』ジョルジョ・ヴァザーリ著、田中英道・森雅彦訳、白水社、二〇一五年、八〜九頁）

そんなレオナルドではありましたが、絵や彫刻の制作には飽きることはなく熱中していました。その息子の姿に父のセル・ピエーロは、フィレンツェの芸術家アンドレア・デル・ヴェロッキオの工房にレオナルドを弟子入りさせることにしました。レオナルドがまだ十四歳の時です。ヴァザーリの伝記によると、優れた絵画の才能を持つレオナルドの技量は師匠のヴェロッキオが嫉妬するほどのレベルだったと言います。しかしレオナルドは（おそらくヴェロッキオの紹介で）外部から注文を受けても、やはりなかなか完成させることができませんでした。

〔野望と実績のずれ〕

大人になってからも依然、好奇心旺盛で多方面に手を広げ過ぎていたレオナルド。彼が残した多くのスケッチは、地質学、機械、建築、解剖学、植物学などその興味の幅広さを語っています。画家というよりは科学者に近かったのかもしれません。

そしてレオナルドは、作品を完成させるには絵筆を手に取る前に「考える」ことが大事だと話していました。ヴァザーリの伝記にはそんな彼を彷彿とさせる文章も。引用文の中の「この絵」とは《最後の晩餐》のことです。

【（前略）この絵のあった修道院の院長は、レオナルドが絵を完成させるよう執拗に懇請した。レオナルドが、ときには半日も絵の前でぼんやり物思いに耽っているのが異常に思えたのである。（後略）】

（『芸術家列伝3』ジョルジョ・ヴァザーリ著、田中英道・森雅彦訳、白水社、二〇一五年、二十一頁）

またレオナルドは、注文主であるミラノ公に次のように説明したと言います。

【（前略）高い才能をもつ人は、実際に働いていないときこそかえってより多くの仕事をしている。頭の中で

EPISODE.9

夢想家レオナルド・ダ・ヴィンチ

Tell me if anything was ever done!!

創意を求め、完全なる観念を形づくろうとするからである。まず脳裏で構想し、次に手を動かすことになる。
（後略）】
（『芸術家列伝3』ジョルジョ・ヴァザーリ著、田中英道・森雅彦訳、白水社、二〇一五年、二十二頁）

一四八二年にはミラノ公のルドヴィコ・スフォルツァの元で仕事をすることになり、既に取り掛かっていた《東方三博士の礼拝》もやはり未完のまま、ミラノへと移住しています。一四九九年までの長い期間、この地でエンジニア及び宮廷画家として過ごしました。宮廷画家というと高貴なイメージがありますが、毎日絵を描いていたわけではなく、部屋の壁のペンキの塗装など地味な仕事もあったようで、ある意味「サラリーマン」に近かったのかもしれません。

〔コンプレックスとマスターピース――ミラノ公へ宛てた手紙から見えること〕

レオナルドが「祝祭イベント」を担当する宮廷画家として迎え入れられた裏には次のようなエピソードがあります。ミラノ公が実質的に位についた年に宮廷での謁見があり、その際レオナルドは自作の楽器、リラを持参して音楽を披露し、ルドヴィコ・スフォルツァに見初められたというものです。音楽家としての才能が「祝祭イベント」に直結したのかもしれません。
そして同じ時期にレオナルドはルドヴィコ・スフォルツァにある手紙を宛てています。転職活動のために送ったこの書簡は有名なもので、さまざまな場面で引用されています。その長い手紙は今で言う履歴書、アーティストで言えば立派な「ポートフォリオ」です。実際この手紙をスフォルツァが読んだかどうかは不明ですが、レオナルドは十項目中、九項目で兵器開発の能力や特技をアピールし、最後の十項目めで建築や水道の建設について言及。アートに関してはこの十項目めの最後に「彫刻、または絵画も制作できます」と記載しており、まるでついでに付け加えたかのようです。画家であるはずのレオナルドがなぜアートとは無関係な才を中心に書き連ねているのか、疑問に思う方もいらっしゃるかもしれません。

〔「芸術」を最後に持ってきた理由〕

■ミラノの社会的背景

このようなアピールをした理由の一つは、ヴェロッキオの工房を出たいと強く思っていたからであろうと推測できます。マスターの工房にいる間はずっと「下っ端」で、キャリア・アップには転職が必須。そこでフィレンツェ（共和国）を出て近隣にあるミラノ公国へと「脱出」を図りました。当時はイタリアの小国同士での戦いが絶えなかったので、ミラノ公が抱える最重要課題は戦闘に勝つために必要な兵器の開発製造。そして次に重要なのは街のインフラ整備。こういった社会事情に配慮した結果、このような書簡になったのだと思います。

■「芸術家」VS「職人」

アートを最後に持ってきた理由はもう一つ。この当時の社会における、絵画の位置付けに対するレオナルドの認識を反映したからと考えられます。画家はいち「職人（＝artisan）」であり、「芸術家（＝artist）」扱いではありませんでした。今で言う商工会のような存在であったギルドで、画家は医者や薬剤師と同じギルドに所属（ちなみに彫刻家は石工のギルド所属。彫刻家でさえも芸術家ではなかった）。つまりギルドに所属すること自体が「芸術」からかけ離れていたのです。

一方で、「ザ・アーティスト」と分類されていた職業は、音楽家や詩人。「職人」であったレオナルドは、自分の絵画の技能はあまりインパクトがないだろう、と判断したのかもしれません。

〔どちらが尊い？「彫刻」VS「絵画」〕

少し細かいですが、「彫刻、または絵画も制作できます」の一文にも注目してみましょう。なぜ「絵画と彫刻」にはせず、彫刻を先にしたのでしょう？ この時代の著名人は騎馬像や胸像を残すという習慣があり、彫刻家へのニーズはコンスタントに存在していたということが大きいと思います。ミラノにも彫刻の需要は十分にあるだろうと予測したのでしょう。また、彫刻家の方が優位な立場にあるという風潮があったことも関係していると思われます。彫刻家も画家も「職人」ステータスには変わりないのですが、その中にもヒエラルキーが存在したのですね。

ただ、「履歴書」では彫刻を先に記したものの、レオナルド自身はこれに疑問を持っていたようで、絵画と彫刻を比較考察して彫刻家にケチをつけている文章も残しています。

【（前略）一〇六――彫刻家は其の芸術がより永久的であり、湿気、火、暑さ、寒さを恐れる事がより少ないと云ふので、絵画より更に価値あるものだと主張する。然し、此の抵抗は自然から来たのであって、芸術から来たのではないから、それは彫刻家に何等の価値をも与へない。（中略）一〇七――彫刻家達は透明なものを現す事が出来ない。又、光あるもの、反映する形、鏡、

図解（1）ルネサンス期における、芸術家VS職人

EPISODE.9

夢想家レオナルド・ダ・ヴィンチ

其他の輝やくものゝやうに輝やく物体も、雲も、暗も現す事が出来ない。そして多くの自然の作用は彫刻家に取って不可能である。（中略）一一二――絵画は彫刻よりも、より大きい精神的な表現であり、より大きい技巧である。其の彫刻はそれが現して居る通りのものに過ぎない。（後略）】

（『レオナルド・ダ・ヴィンチの絵画論』レオナルド・ダ・ヴィンチ著、加藤朝鳥訳、北宋社、一九九六年、八十五～九十二頁）

実際、汗水流す肉体労働者系の彫刻家より画家の方が紳士的だと考える向きもありましたが、レオナルドのこの主張からはちょっとムキになっている感じが伝わってくるようです。

そんなレオナルドには、彫刻に苦い思い出がありました。ミラノ公の宮廷で仕事を開始した時、スフォルツアに父フランチェスコの「騎馬像」を依頼されました。制作用にブロンズが七十五トンも用意されたようですが、レオナルドはなんと八年もかけて、完成させることができなかったのです。後にフランスが侵略を受けた際、そのブロンズは大砲と化し、最終的に騎馬像プロジェクトは中止となりました。

ちなみに同時代に活躍をした彫刻家のミケランジェロはやはり、絵画を下に見ていました。しかし七十歳を超え、人間的にも丸くなったミケランジェロは次のように考えを改めたようです。フィレンツェの学者ベネデット・ヴァルキに絵画と彫刻のどちらが尊いかと聞かれ、ミケランジェロは手紙でこのように答えています。

【（前略）いかなる画家も絵画より彫刻を軽視すべきではなく、同様にいかなる彫刻家も彫刻より絵画を軽視すべきではありません。わたしは彫刻を石より掘り穿って作るものとし、積み重ねて作るものを絵画としま す。両者――すなわち彫刻も絵画もともに同一の知能より来るものであれば、これらに調和をもたらすことのできるのは当然のことであり、多様な議論などは見捨てておけばよいのです。（後略）】

『ミケランジェロ伝〈全2巻〉―付ミケランジェロの詩と手紙―（美術名著選書21）』A．コンディヴィ著、高田博厚訳、岩崎美術社、

一九七八年、一五七頁

ヒューマニストへの憧れとコンプレックス

レオナルドは生涯、「芸術家＝Artist」に対して「職人＝Artisan」とみなされるコンプレックスに苦悩していたように思えます。当時の「芸術家」の概念は現代とは違い、その中に「画家や彫刻家」は含まれていませんでした。

教養としての「リベラルアーツ」を重視したインテリ層は、古代ギリシャ・ローマの詩歌、歴史、道徳哲学、文法、修辞などを含む古典研究をし、「ヒューマニスト」と呼ばれていました。音楽や詩学に携わる者はこの「リベラルアーツ」に属したのですが、対する絵画は実用的な「メカニカル・アーツ」とされ、一段低く位置付けられたことをレオナルドは不満に思っていたのでした。今この時代に、レオナルドが残した手稿に綴られた数々の文章や絵画論などを読む

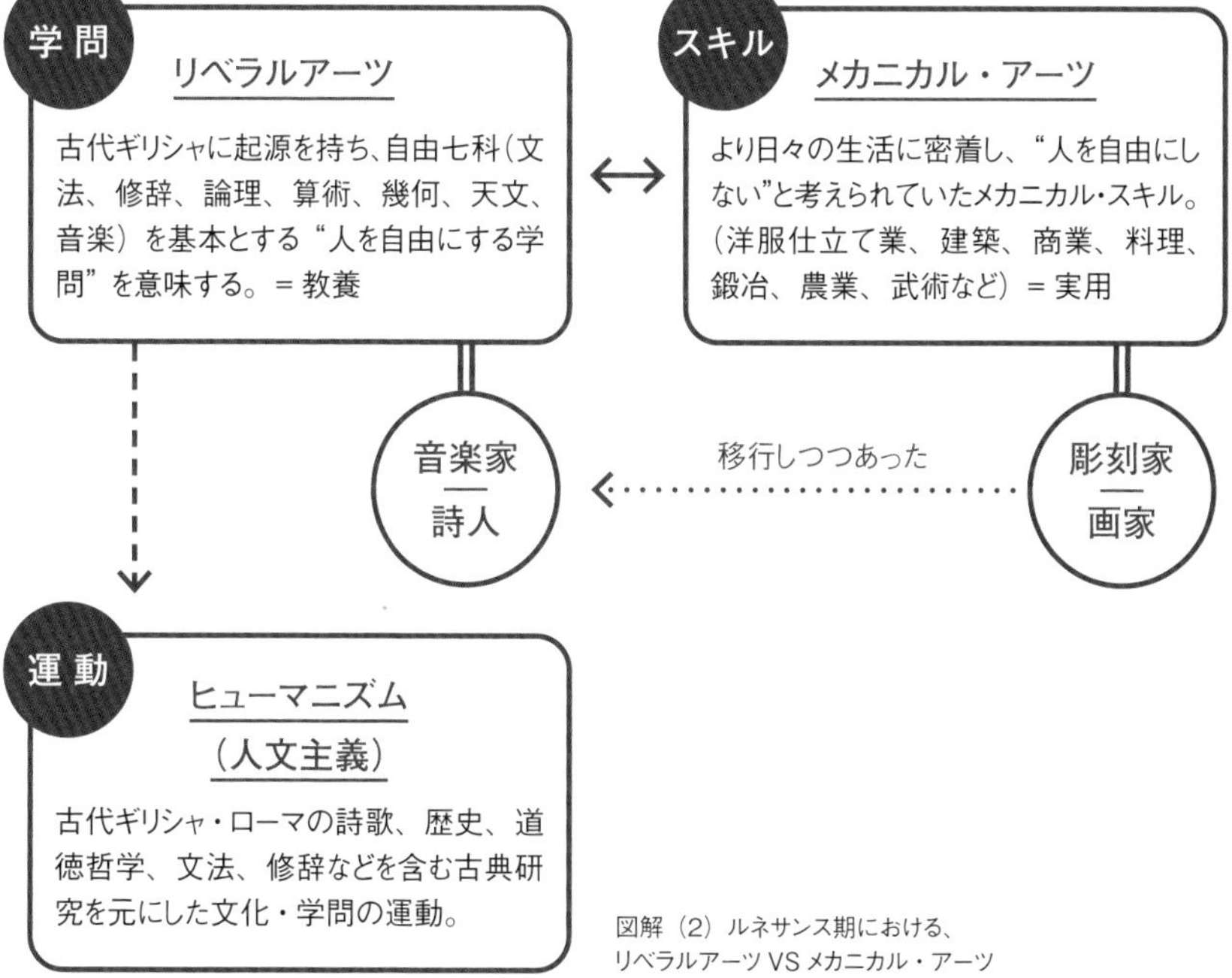
学問
リベラルアーツ
古代ギリシャに起源を持ち、自由七科（文法、修辞、論理、算術、幾何、天文、音楽）を基本とする“人を自由にする学問”を意味する。＝教養
スキル
メカニカル・アーツ
より日々の生活に密着し、“人を自由にしない”と考えられていたメカニカル・スキル。（洋服仕立て業、建築、商業、料理、鍛冶、農業、武術など）＝実用
音楽家
詩人
移行しつつあった
彫刻家
画家
運動
ヒューマニズム
（人文主義）
古代ギリシャ・ローマの詩歌、歴史、道徳哲学、文法、修辞などを含む古典研究を元にした文化・学問の運動。

図解（2）ルネサンス期における、
リベラルアーツVSメカニカル・アーツ

と、リベラルアーツに素晴らしく長けた人物に違いないと思うのですが、当時はそれを本人も周りも知る由もなかったのでしょう。

レオナルドは自分の手稿に、絵画を音楽や詩と比較する文章を書いています。いかに絵画が優秀なのか綴っていますが、その検証の仕方には少し無理が感じられます。絵画をもっと認めて欲しい、自分をヒューマニストとして認めて欲しい……そんな焦りが見えてきます。

【（前略）八五――絵画はすぐ表現される。自然に依って創造された物は何一つ匹敵する物のない至高の感覚に非常な喜びを与へて、其の作者が生んだ通りに表現されるのである。此の場合、共通の感覚に同じ物を劣った感覚である聴覚の手段に依って示す詩人は、語る物を聞くと云ふ事より他の快楽をば聴覚に与へない。（後略）】

（『レオナルド・ダ・ヴィンチの絵画論』レオナルド・ダ・ヴィンチ著、加藤朝鳥訳、北宋社、一九九六年、六十二～六十三頁）

【（前略）絵画は音楽を凌駕し、支配する。何故と云えば絵画は頼りない音楽のやうに創られてからすぐ止って了ふ事はなく、又、其の本質の中に残るからである。（後略）】

（『レオナルド・ダ・ヴィンチの絵画論』レオナルド・ダ・ヴィンチ著、加藤朝鳥訳、北宋社、一九九六年、七十五頁）

古代、五感の中で「視覚」が一番大事で聴覚は二番目と言われてきました。レオナルドはその「視覚」をツールとする絵画を描く画家こそが、全てのクリエーターの中でトップに位置し、神のような存在だと主張したのです。

その後レオナルド、ミケランジェロ、ラファエロのルネサンス三代巨匠の活躍も後押しとなり、時代の流れの中でアートは「メカニカル・アーツ」から「リベラルアーツ」のカテゴリへと移行していきます。

マスターピース《最後の晩餐》

レオナルドに、ついにマスターピースを誕生させる機会がやってきます。一四九五年頃から取り掛かり、約三年かけて完成させた《最後の晩餐》（図1）はミラノ公、ルドヴィコ・スフォルツァからの依頼でした。サンタ・マリア・デレ・グラツィエ教会の食堂部分の装飾を手掛けることになったレオナルド。彼にとって大きな課題となったのは、その絵画のスケールでした。

システィーナ礼拝堂の天井画《創世記》を描いたミケランジェロ、《アテネの学堂》を描いたラファエロは両者共に、フレスコ画の技法を使っています。しかしレオナルドには、フレスコ画の技法を使った経験がありませんでした。フレスコ画を描くにはスピードが求められます。壁にしっくいを塗り、それが乾かないうちに水性の絵具で絵を描く……。非常にタイトな時間制限があるため、スローワーカーであるレオナルドは、自分にはかなり厳しい作業になると予測できたのでしょう。実験好きな彼は革新的な手法を思いつきます。卵、ニカワ、植物性油などを溶剤とし、顔料を溶き、完全に乾いた壁の上に描いていくテンペラ画の技法の採用です。時間制限がなく、重ね塗り、描き直しも可能なテンペラ画。レオナルドはこの技法を採用することで時間的制約から解放されました。更に油彩のメデュームによって、より美しい壁画を目指したのではという見方もあります。確かにフレスコ画は油彩のメデュームに比べると、若干マットな仕上がりになります。より光沢のある絵画にするにはやはり「オイル」が必要となるのです。狙いは的中し、外観は魅力的に仕上がりました。しかしフレスコのように色が壁に染み込まずしっかり付着しないため、レオナルドが生きている時代から既に絵具が作品から剥がれていくという事態を招きました。

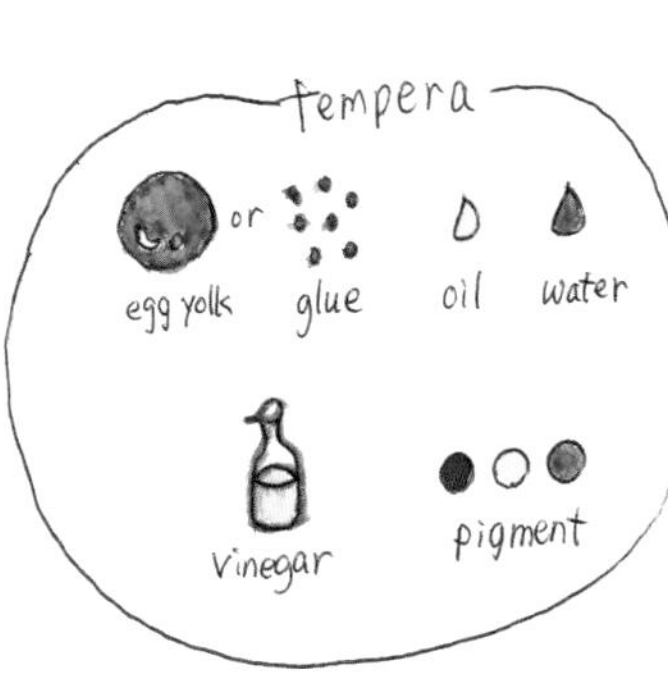

EPISODE.9

夢想家レオナルド・ダ・ヴィンチ

その後、第二次世界大戦での修道院の一部破壊、戦後の観光客の増加などで劣化がより深刻になりましたが、二十世紀末に何年もかけて大規模な修復作業が行われ、何とか鑑賞できる状態になりました。システィーナ礼拝堂の壁画などと比べると発色は今ひとつではありますが、この絵画で彼が美術に貢献したことは数多くあります。

〔《最後の晩餐》がマスターピースである理由〕

「最後の晩餐」は新約聖書に書かれてある話で、キリストが刑にかけられる前夜に十二使徒と夕食を共にしたことを指します。キリストが弟子たちに「あなたがたのうち一人が、私を裏切ります」と発言した直後のどよめきをレオナルドは描いています。この作品が革新的と称賛されるその理由はいくつかあります。レオナルドのバージョンの約二十年前に描かれた同じテーマの壁画と見比べるとよく分かります。ドメニコ・ギルランダイオの《最後の晩餐》（図2）と比較してみましょう。

■構図

伝統的にはギルランダイオの作品ように、キリストを真ん中に、使徒たちを水平に置かれたテーブルの後ろに一列に並べて描き、

（図1）レオナルド・ダ・ヴィンチ《最後の晩餐》テンペラ
Leonardo da Vinci, *The Last Supper*, 1495-1498, Santa Maria delle Grazie, Milan
Reproduced with the permission of Ministero per i Beni e le Attività Culturali, Mauro Ranzani Archive, Alinari Archives

裏切り者のユダのみ一人テーブルの手前に座らせるという構図が使われていました。聖人を意味する光輪もユダには付けられていません。

一方レオナルドはキリストと同列に十二人全員を描いており、誰にも光輪はありません。手に持つ賄賂金の入った袋というシンボルがユダを判別する手掛かりです。中央に座るキリストの頭上を消失点に一点透視法を使用し、キリストの左右に六人ずつを配置、左右対称な構図としています。弟子の十二名も三人ずつにグループ分けし、それぞれがピラミッドの型にはめられているようにバランス良く描いています。美術史的にはこの一点透視法という遠近法の一種を使用したことで知られる作品でもあります。

■表情

構図としてのバランスを基本としながらも、レオナルドは人物を表情豊かに描いています。人相学に興味があったレオナルドはミラノの街へ出かけて行き、さまざまな人物を観察しました。会話、口

（図２）ドメニコ・ギルランダイオ《最後の晩餐》フレスコ
Domenico Ghirlandaio, *The Last Supper*, c. 1480, Florence, Museum of S. Marco, Hall of The Last Supper
Alinari Archives, Florence, distributed by AMF

論、談笑、ケンカをしている人々の実際の表情やジェスチャーなどを観察することで、よりリアルな描写ができたのです。当時多くの画家は過去の作品を模倣したり、彫刻等をモデルに表情を描くこともあった中、このレオナルドのスタイルは革新的でした。

■ドラマ性

この構図とジェスチャーを伴った表情の描写で、レオナルドは上手く弟子たちの心理ドラマを捉えています。衝撃告白を聞いた直後のその「瞬間」の、弟子たちの驚きと動揺が鑑賞者の私たちに伝わってきます。一方のギルランダイオの場合は、人物は均等に配置され、整然と描かれており、一人一人に動きがなくてほとんど無感情、冷めたリアクションをしています。キリストが例の告白をする前のシーンにも見えます。《最後の晩餐》は修道院の食堂に飾られることの多いシーンですので、静かに食事をする修道士たちにとってはギルランダイオの絵の方が実は適していたのかもしれません。

レオナルドはこの《最後の晩餐》の後に、あの誰もが知っている《モナ・リザ》を描きました。最終的に《モナ・リザ》は注文主に届けられたわけではなく、生涯自分の手元においていた作品でしたので、それを考えるとやはり《最後の晩餐》が作家としてのマスターピースだったのではないでしょうか。

レオナルド・ダ・ヴィンチ《習作》ドローイング
Leonardo da Vinci, *Sheet of Studies*, probably 1470-1480
National Gallery of Art, Washington DC

晩年のレオナルド

一四九九年にフランス軍がミラノを占領しスフォルツァも失脚、それを機にレオナルドもフィレンツェに戻ります。その後、ローマ教皇のレオ十世の弟のジュリアーノ・デ・メディチの招きで、一五一三年にヴァチカンで職に就きます。ミケランジェロがちょうどシスティーナ礼拝堂の天井画《創世記》を少し前に完成させたばかりで、ラファエロが教皇の部屋《ラファエロの間》を装飾している真っ只中という時期でした。ルネサンスの三大巨匠が一堂に会した時期です。

一五一六年にジュリアーノが亡くなった後、レオナルドはフランス国王のフランソワ一世の招きでフランスに渡ります。当時、芸術の中心地であったローマから名高いレオナルドが来てくれたことは、フランスにとって喜ばしいことでした。アンボワーズ近郊で与えられたクルー館で晩年を過ごし、そこで亡くなりました。フランソワ一世はレオナルドを愛し、彼が見守る中でレオナルドは息を引き取ったとされていますが、ヴァザーリは亡くなる直前のレオナルドの様子を次のように記しています。

【(前略)レオナルドはうやうやしく身を起こしてベッドに坐り、病気とその容体を語り、納得のゆく芸術作品をつくらずに、いかに自分が神に背き、世の人々を傷つけてきたかを述べた。(後略)】

(『芸術家列伝3』ジョルジョ・ヴァザーリ著、田中英道・森雅彦訳、白水社、二〇一五年、三十五頁)

レオナルド・ダ・ヴィンチ
《斜め前から見た右向きの聖母マリアの頭部》
ドローイング
Leonardo da Vinci,
The Head of the Virgin in Three-Quarter View Facing Right,
1510–1513, The Metropolitan Museum of Art, New York

ルーヴル美術館にある《聖アンナと聖母子》の、聖母マリアの習作。

➔203

column 09

予言者レオナルド

▼《手稿》という「作品」から読み解けること

画家として馴染みのあるレオナルドですが、「画家」というのは彼の一面にしか過ぎず、本当のすごさは多岐に渡る自然と科学へのエンドレスな探求心です。異なる分野のことを横断的に学び、研究しながら総合的に物事を捉える力は「リベラルアーツ的」な思考だと言えます。そしてその彼の思考の記録が、手稿という形で残っています。

完成させた絵画作品はたったの十五点であっても、レオナルドの手稿となるとこれは膨大な量が存在します。欧州各地に現存する五〇〇〇枚以上にのぼるとされているレオナルドの手稿の内容は自然科学から解剖学、工学、絵画論まで幅広いジャンルについてスケッチと共に書き綴られています。それらを読んでいくと、彼の思考の幅広さや観察力の鋭さ、次から次へと湧き出てくる興味が見えてきます。この手稿に記録したさまざまな事象の研究発表がある意味、作品だったのかもしれません。

そして自然科学や絵画にとどまらず、彼は予言的、哲学的なメモも多く残しています。その中でもタイムリーなものを一つご紹介します。そもそもレオナルドの手稿は出版しようと思って書かれたわけではなく日付もありませんので、このメモが書かれた具体的な背景は分かりません。ミラノ宮廷での判じ物のために書かれたという説もありますし、近隣の小国同士の戦いやフランス軍のミラノ征服などイタリアの政情不安が影響しているのかもしれません。どちらにしても、人類に対してかなり悲観的な見方がされていることには違いありません。

【（前略）自分たち同士絶えず闘い合い、実際、双方大きな損耗を重ねつつしばしば命をも落とすというような、地上の被造物が見受けられる。彼等の性悪ぶりには限りがない。世界中の広大な森の殆どが彼等の強力な腕で引きずり倒されてしまうであろう。それに飽きると、逃げようとする生き物に死、苦痛、不安を撒き散らして自分の欲望を充たそうとする。彼等の思い上がりには止め処がなく、なろうことなら天にまで昇りかねまい。だがその四肢は重すぎて彼等を下に押し留める。彼等に追い立てられ、狩り出され、痛めつけられることのないものなど、地上にも地下にも水中にも存在しない。彼等はそれをある土地から別の土地へ強引に引きずっていくだろう。（後略）】

（『レオナルドの幻想《ヴィジョン》─大洪水と世界の没落をめぐる』ヨーゼフ・ガントナー著、藤田赤二・新井慎一訳、美術出版社、一九九二年、三〇八〜三〇九頁）

五〇〇年以上も前に人類が今直面している課題を予言していたレオナルドは、優秀な観察力を持つ画家以上に素晴らしい予言者、そして哲学者でもあると思います。

この手稿から読み取れることは、国家間の戦争や再生可能エネルギーという名のもとに森林を伐採し、人間や動物を犠牲にし、地上と地下と海の資源も使い尽くしてエコシステムが壊される様子など、現在も私たちが直面している課題です。とりわけ、地球温暖化に関してはそのものが取り上げられているように感じます。そして人間の欲望は止まらず、今度は「天を目指す」とまで書かれています。今でいう火星へ移住するというようなことでしょうか。

現状の改善回復への努力を怠り、まるで使い捨てのように自然を扱う人間は何と傲慢なのか……。レオナルドはそれを見抜き、先のような言葉を残しています。悲観的ではありますが、今なお事実であり、現実になっているのです。また晩年のレオナルドはこのような予言とは別に、大洪水や世界の没落をテーマとしたようなスケッチもいくつか残しています。宗教画ではないのですが、まるで「最後の審判」のような、黙示録的な雰囲気を醸し出しています。

レオナルドは一体「何のために」このような量の手稿を残したのか？と話題になりますが、彼の人生の目的自体が「なぜ」を追求し、「学び続けること」であったのではないかと私は思っています。「学び」、そのプロセスこそが幸福な人生に繋がっていく。レオナルドに、そのような大切なことを教えてもらっているような気持ちになるのです。

レオナルド・ダ・ヴィンチ
《ジネヴラ・デ・ベンチの肖像［表面］》
油彩
Leonardo da Vinci, *Ginevra de' Benci [obverse]*, 1474-1478, National Gallery of Art, Washigton DC

レオナルド・ダ・ヴィンチ
《月桂樹、椰子、ジネプロのリース、エンブレム「美は徳を飾る」入り。［裏面］》
油彩
Leonardo da Vinci, *Wreath of Laurel, Palm, and Juniper with a Scroll inscribed Virtutem Forma Decorat [reverse]*, 1474-1478
National Gallery of Art, Washigton DC

アマチュア詩人ジネヴラの名はイタリア語のジネプロ（ginepro）から来ている（英語では juniper）。〔表面〕の背後と〔裏面〕の真ん中にあるのが知性を表すジネプロの樹と葉。彼女の「知性」や「美徳」を象徴的に描いた。現在、北米にある唯一のレオナルドの油彩作品。

私たちが今まで考えていたごく普通の生活の「フツウ」が変わろうとしている今、「自分軸の確立」「人生哲学の獲得」こそが、大きな時代のうねりを乗り切る上での最重要ファクターだと思います。「自分軸」は「自分らしさ」とは違います。「自分軸」とは仕事や生き方に対する哲学、死生観、宗教観、善悪や美に関する基準のこと。これさえしっかりしていれば、世間に振りまわされることなく物事を判断できる、ゆるぎない自分が確立されるのです。自分を確立するために必要なのは「考える力」で、これを高めるヒントは「リベラルアーツ」にあります。「古典」をベースとし、歴史や政治、宗教、慣習、哲学、文化など、あらゆる事象の密接な関係性を横断的に学ぶことは、普段の生活やビジネスにおいても役立ち、最終的に豊かな「人間力」の獲得へと帰結するでしょう。「アート」「西洋美術史」はこの学びに最適なツール。私はアート・エデュケーター／講師として活動を開始して以来、この「自分軸の確立」を理念に掲げてアートに関する講座を展開してきました。

講座で私が心掛けていることは、アーティストたちが何を考えどう生きたのかを、彼らの生の声、つまり手紙や書物として現在に伝えられている、生き生きとした言葉から学ぶということです。リアルな言葉は読む者をインスパイアするパワーに満ちています。皆さんにもできるだけ多くのアーティストの言葉に触れて欲しい、その想いからこの本を書きました。彼らの言葉が、「更に知りたい、自分なりに調べてみたい」というテーマやアーティスト、関連人物・事項の発見へと繋がったのであれば本当に嬉しいです。更に言えば、この本を読み終えて、ミケランジェロの詩集を買ってみようか、ホガースの「線」を意識して絵画鑑賞をしてみようか……そんな風に好奇心や興味をかきたてられたのなら、私のミッション達成です。このわくわく感は、好きなもの・興味があるものを「ライフワーク」にまで高めるための架け橋です。そこから生まれる流れが生きる上での強みになり、「自分軸の確立」へと導いてくれる。これこそが私の信念です。

「好きなことが見付からない」という相談を受けた時のアドバイスは「なぜ＝ＷＨＹ」という問いを、常日頃習慣的に持つということ。問いを持つことは「調べる」「詳しい人に話を聞いてみる」そして「考える」というサイクルを生みます。これを繰り返すことで、一つのことを「多角的」に見る習慣が身に付き、予期していなかった面白いストーリーや、自分の中の新しい可能性との出会いが生まれます。この過程を楽しめたなら、それは「好き」の入り口に立った証。それはもしかすると仕事への新しい道を拓き、はたまた、既に従事する仕事への有益な力となるかもしれません。仕事に直結しなくても自分の「自信＝confidence」には必ず繋がります。「自信」は人生を変えてくれます！「ＷＨＹ」の追求が美術史に向いた方は、こう思われるでしょう。「急に時間が足りなくなった」と。学べば学ぶほど、ますます知への欲求が湧き出てくる……こうなると好奇心のサイクルはもう止まりません。この本が、読者の皆さんの好奇心を刺激する一助になれたとしたら、幸いです。

最後になりましたが、マール社の皆さん、特に敏腕編集者の林綾乃さん、そしてGOサインを出して下さった田上社長、かわいいイラストをたくさん描いて下さった土井智子さんには大変お世話になりました。心よりお礼を申し上げます。また、リサーチ・アシスタントであり、私の心友でもある川口智子さんには感謝の念に堪えません。ありがとうございました。

二〇二〇年夏　宮本由紀

WHY?
Michelangelo

著者プロフィール

宮本由紀／Yuki Miyamoto

「英語でアート」（西洋美術史、美術英語）講師、アート・エデュケーター。2005年より“英語でアート”のスクール、Art Allianceを主宰。女子美術大学非常勤講師。女子美術大学付属高等学校・中学校の“美術英語”カリキュラム導入コンサルタント。ヒューストン大学美術史学科卒（学士号）、セント・トーマス大学大学院リベラルアーツ（美術史）科卒（修士号）、ヒューストン美術館ヨーロッパ美術部門インターンシップを経て、同美術館リサーチライブラリー勤務。日米アーティストのエージェント／メディエーターも務め、国内外で展覧会を企画。『英語でアート！』（共著、マール社刊）。東京在住。香川県生まれ、サンフランシスコ育ち。
http://yukimiyamoto.com/

リサーチ・アシスタント	川口 智子
イラスト	土井 智子
装幀・本文デザイン	別府 拓（Q.design）
DTP	G.B. Design House
編集	林 綾乃（株式会社マール社）

メンタルに効く西洋美術
逆境にもくじけないアーティストたち

2020年8月20日　第1刷発行

著者：宮本 由紀
発行者：田上 妙子
印刷・製本：図書印刷株式会社
発行所：株式会社マール社
〒113-0033
東京都文京区本郷1-20-9
TEL 03-3812-5437
FAX 03-3814-8872
https://www.maar.com/

Tell me if anything was ever done!!

ISBN978-4-8373-0686-3　Printed in Japan

バイリンガル付録3

イエスの生涯（Major events in Jesus's Life）

宗教画でよく描かれる「イエスの生涯」。有名どころをピックアップしました。

1. 降誕（Nativity）

- 受胎告知（Annunciation）
- 降誕／聖誕（Nativity of Jesus）
- 羊飼いたちの礼拝（Adoration of the Shepherds）
- 東方三博士の礼拝（Adoration of the Magi）

2. 幼年期（Youth）

- エジプトへの逃亡（Flight into Egypt）
- 幼児虐殺（Massacre of the Innocents）
- 博士たちと論議するイエス（Finding in the Temple / Christ among the Doctors）

3. 洗礼と布教（Baptism and Ministry）

- 洗礼（Baptism）
- 荒野《あらの》の誘惑（Temptation of Christ）
- 福音の伝道（Ministry）
- 山上の垂訓《すいくん》（Sermon on the Mount）
- サマリアの女性（Samaritan woman at the well）
- ラザロの復活（Raising of Lazarus）
- イエスの変容（Transfiguration）

4. キリストの受難（Passion of Christ）

- エルサレム入城（Entering Jerusalem）
- 最後の晩餐（Last Supper）
- 十二使徒の洗足（Washing of Feet）
- ゲッセマネの祈り（Prayer in the Garden of Gethsemane）
- ユダの接吻と捕縛《ほばく》（Kiss of Judas and Arrest）
- ペテロの否認（Denial of Peter）
- 審問とむち打ち（Trial and Flagellation）
- ゴルゴダへの道（Via Dolorosa / Way of Suffering）
- 磔刑（Crucifixion）
- 十字架降下（Descent from the Cross / Deposition）
- キリストの哀悼（Lamentation）
- 埋葬（Entombment）

5. 復活と昇天（Resurrection and Ascension）

- 復活（Resurrection）
- エマオの晩餐（Supper at Emmaus）
- 昇天（Ascension）